LE FRANÇAIS
ET LA PROFESSION

Collection dirigée par
Max DANY
Directeur du Centre Audiovisuel
de Langues Modernes
de Vichy

LE FRANÇAIS DE
L'HÔTELLERIE
et
DU TOURISME

Max DANY
Jean-Robert LALOY

H HACHETTE F.L.E.
58, rue Jean-Bleuzen
92170 Vanves

Pour étudier
le français de l'hôtellerie et du tourisme,
on trouve, en complément à ce livre :
3 cassettes C. 60, pour travailler toute la partie orale
(dialogues, dictées, exercices et leurs corrigés).

Nous remercions les responsables, les enseignants et les élèves du **Centre Régional de Formation Hôtelière de Vichy** ainsi que M. HERBIN, propriétaire du **Marcotel** à Bellerive-sur-Allier, et son personnel, qui ont aimablement prêté leur concours pour la réalisation des photos de l'ouvrage.

Nos remerciements vont également à l'**Office Bourbonnais du Tourisme et du Thermalisme** et à tous les hôtels, restaurants et organismes privés ou officiels qui ont bien voulu nous communiquer les documents reproduits dans le présent ouvrage.

Reportage photographique : Laurence VIDAL.
Dessins de FORCADELL.
Maquette de couverture : Gilles Vuillemard.
Photographie de couverture : Pullman Astoria, Bruxelles.

ISBN 2.01.016208.0
© *Hachette, 1980*
79, boulevard Saint-Germain, 75006 Paris.

Avant-propos

Les principes directeurs qui ont présidé à la conception et à l'élaboration du *Français de l'hôtellerie et du tourisme* ont été largement exposés dans un article du *Français dans le Monde*. Nous ne les reprendrons donc pas en détail ici, renvoyant à ce qui a été écrit[1]. Rappelons-en simplement les idées maîtresses :

1 distinction entre le français du tourisme et le français du touriste, le premier seul faisant l'objet du présent ouvrage ;

2 place privilégiée de l'hôtellerie par rapport aux activités de tourisme proprement dites ;

3 analyse des situations professionnelles dans lesquelles le personnel de l'hôtellerie et du tourisme aura, à l'étranger, à utiliser le français ;

4 inventaire des actes de communication et des besoins langagiers qui naissent de ces situations, et qui constitue le corpus de compétences de langue et de communication à faire acquérir aux étudiants.

Par-delà ces fondements de la méthode, nous nous attachons, dans les pages qui suivent, à mieux définir l'organisation pédagogique du contenu et sa mise en œuvre pratique.

Le **public** auquel s'adresse l'ouvrage doit posséder d'une part des notions de base en français, d'autre part une connaissance assez précise des divers aspects du métier d'hôtelier. Les étudiants *ne* seront donc *pas* des débutants en français, mais ils seront, par contre, soit des professionnels de l'hôtellerie soit de futurs professionnels, étudiants des écoles hôtelières ou de tourisme. Il faut noter que les connaissances technologiques requises de l'enseignant de français sont suffisamment générales pour ne pas dépasser ce que toute personne un peu observatrice a pu remarquer au cours de ses voyages.

L'**organisation** de l'ouvrage se veut « fonctionnelle » et s'articule autour des divers services d'un hôtel. La première partie se situe à la réception, la deuxième au restaurant, la troisième dans les autres services, c'est-à-dire le bar, les étages et le standard téléphonique. Tous ces services supposent des contacts essentiellement oraux, directs ou indirects. La quatrième partie présente tout ce qui a trait aux contacts écrits indirects, lettres ou télex ; traitant d'un sujet distinct, elle a sa spécificité et sa cohérence internes, sur lesquelles nous reviendrons plus loin.

Les trois premières **parties** sont divisées chacune en **chapitres.** Pour la troisième partie, l'unité des chapitres est d'ordre thématique (le bar, les étages, le standard). En revanche, pour les parties 1 et 2, l'unité est de type fonctionnel et reprend les principaux domaines d'actes de parole déterminés à partir des situations professionnelles. La partie 1 *(A la réception)* comprend : accueillir, renseigner, présenter la note et prendre congé ; et la partie 2 *(Au restaurant)* : l'accueil, le service, l'addition et le départ.

Chaque **chapitre** est divisé en un certain nombre de **situations** (de 2 à 5) qui constituent l'unité pédagogique et didactique.

Le matériel pédagogique correspondant à chaque situation couvre six pages du manuel, se répartissant ainsi :

1/ Les deux premières pages se rapportent à ce que nous appelons les **Actes de communication courants,** que les spécialistes nommeraient les « transactions ». Il s'agit de situations de communication qui, dans le contexte professionnel donné, vont se produire à peu près à coup sûr, et sont donc facilement prévisibles et codifiables en

---

1 N° 149 - nov.-déc. 1979 : *L'enseignement du français aux adultes,* numéro spécial sous la direction du Pr A. RAASCH, pp. 74-80.

fonction des locuteurs. Ces dialogues, courts et simples, exigent le plus souvent des connaissances en langue élémentaires (deux à trois années d'études scolaires du français). Ils sont prévus pour un travail à la fois réceptif et productif ; ils auront donc à être mémorisés et les brefs exercices qui les suivent sont conçus en conséquence. Par exemple :
— écoute du dialogue,
— 1re question,
— ré-écoute du dialogue,
— réponse, puis,
— 2e question,
— écoute du dialogue,
— réponse,
— 3e question, etc.
Des variantes sont, d'autre part, le plus souvent prévues ou suggérées pour la « restitution » du dialogue.
Des documents authentiques apparaissent également mais ils sont toutefois relativement peu nombreux, car rares dans certains services (restaurant ou bar, par exemple) ; en introduire de factices serait du trompe-l'œil.

2/ La troisième page est consacrée à la **grammaire** vivante. Ici encore, le niveau de départ est celui d'élèves ayant accompli deux à trois années d'études du français dans l'enseignement secondaire de leur pays. Pour cette partie grammaticale, nous avons voulu prendre en compte à la fois les plus récents travaux dans le domaine de la linguistique générale et les préoccupations beaucoup plus concrètes, voire terre-à-terre, qui sont tout normalement celles des professeurs de français langue étrangère, se trouvant quotidiennement confrontés aux problèmes pratiques d'apprentissage. Notre conception des problèmes et de la façon de les traiter est très proche de celle de MM. CAPELLE et FRÉROT dans la *Grammaire de base* (Hachette, éditeur) qui, à notre sens, doit être l'un des ouvrages de référence fondamentaux de tout professeur de français langue étrangère et en particulier de ceux appelés à utiliser le présent manuel.

Le **contenu grammatical** s'organise dans les trois premières parties de la façon suivante :

a Les exercices introduits dans la 1re partie (points grammaticaux de 1 à 9 — voir en annexe) visent à favoriser un élargissement des possibilités d'expression déjà acquises. En effet, comme nous l'avons dit plus haut, le cours ne s'adresse pas à des débutants ; en fonction des connaissances de base supposées apprises et des besoins linguistiques propres à l'hôtellerie, le contenu pour ces neuf premiers thèmes grammaticaux a été élaboré selon deux critères :
— apprendre à demander et à répondre dans les formes de politesse voulues (diverses formes de questions, réponses par « si » et par « non ») ;
— se rompre aux diverses façons fondamentales de dire la même chose (divers processus de préfixation et de dérivation, emploi de substituts : pronoms personnels, propositions relatives, adjectifs remplaçant une proposition ou un nom).

b Les exercices introduits dans la deuxième partie, correspondant aux points grammaticaux de 10 à 18 (voir annexe), traitent des aspects de la phrase simple. Ils s'articulent autour des notions suivantes :
— l'ordre des mots dans la phrase simple ;
— le nom (genre et nombre) ;
— la comparaison et l'intensité ;
— la possession ;
— le verbe (formes, constructions) ;
— les expansions et les réductions de la phrase simple.

c Les exercices introduits dans la 3e partie (points grammaticaux de 19 à 24 — voir annexe) se rapportent à des domaines de la phrase complexe qui nous ont semblé fondamentaux et prioritaires compte tenu du temps limité dont pourront disposer les professeurs. Ce sont :
— la concordance des temps ;

— les divers aspects de l'hypothèse ;
— quelques relations essentielles (cause, conséquence, condition, temps).

La **progression** adoptée pour présenter et faire acquérir ce contenu s'inspire très largement de la notion de « l'écho », exposée en particulier par R. GALISSON[1]. Le thème grammatical traité est repris dans la leçon qui suit, puis en sautant une, puis deux, puis trois leçons. Chaque thème grammatical abordé est donc traité sous 5 aspects pour les points 1 à 14, sous quatre aspects pour les points 15 à 18, trois aspects de 19 à 21, deux aspects pour les points 22 et 23, et un seul aspect pour le point 24. On trouvera le détail du rythme d'apparition dans le tableau donné en annexe, p. 180.

Ce type de progression a été adopté essentiellement parce qu'il permet :
a d'espacer la fréquence des exercices se rapportant à une difficulté donnée, au fur et à mesure que cette dernière est mieux maîtrisée ;
b d'approfondir systématiquement l'étude du point traité selon un processus propre à faciliter la fixation ;
c de reprendre les notions fondamentales en introduisant des exercices de révision si l'assimilation semble insuffisante quand le thème abordé réapparaît au bout de deux ou trois leçons ;
d d'avoir dans chaque « situation » une partie d'exercices grammaticaux équilibrée dans son volume et présentant de façon systématique des problèmes variés.

Enfin, de manière beaucoup plus modeste, quelques thèmes de grammaire sont traités dans les exercices de traduction de la partie « Pour aller plus loin ». Ils sont abordés par écrit soit *avant de* l'être oralement, lorsqu'il s'agit de formes à la fois difficiles et importantes (conjugaison des verbes, concordance des temps avec SI), soit *en même temps* qu'ils le sont à l'oral, en compliquant certaines formes (relatifs, expression de la cause). On en trouvera le détail en annexe.

3/ La quatrième page, **Votre savoir-faire,** vise à développer la compétence productrice des apprenants en leur faisant produire des actes de parole correspondant à la situation à laquelle ils se trouvent confrontés. Les exercices sont conçus dans une optique « fonctionnelle » et tendent à faire acquérir un véritable savoir-faire professionnel. Ils cherchent en général à répondre, en français, à la question « Comment... ? » (accueillir un client ; indiquer le chemin, refuser, etc.). Ces exercices constituent donc autant de « cas professionnels » concrets à résoudre, dont on trouvera l'inventaire et le détail en annexe.

On remarquera au hasard de ces quatre pages quelques bandes dessinées, présentant les « gaffes » de notre héros, Léon, jouant successivement le rôle de divers professionnels de l'hôtellerie et du tourisme. L'idée de ce personnage nous est venue en constatant que, dans les situations hôtelières, on ne rit guère (tout au moins ouvertement) dans l'exercice de la profession. Notre premier souci, en créant cette B.D., a donc été d'apporter une note humoristique, détendant un peu le ton général de rigueur. Mais nous avons également essayé d'introduire des possibilités d'utilisation pratique de la langue telles que :
— description de la scène *(Que fait Léon ? Qu'est-ce qu'il ne doit pas faire ? etc.)* ;
— discussion sur l'aspect technique des gaffes présentées (en relation donc avec ce qui est appris en technologie hôtelière ou par la pratique du métier) ;
— passage au maniement du conditionnel *(Si vous étiez à la place de Léon...)* ;
— création de courts dialogues possibles adaptés aux situations présentées, etc.

4/ Les deux dernières pages, enfin, s'intitulent **Pour aller plus loin.** D'un niveau plus avancé, elles peuvent, selon les objectifs visés, les besoins des élèves ou leur niveau,

---

1 Voir R. GALISSON, *L'écho, cinquième moment de la classe de langue* (B.E.L.C., multigr.) et GALISSON et COSTE *Dictionnaire de didactique des langues* (Hachette), article ÉCHO.

être utilisées totalement, partiellement, ou même laissées de côté, sans que cela nuise à la continuité du cours. Les dialogues présentés correspondent à des situations beaucoup moins prévisibles ; ils sont plus longs, plus complexes et servent davantage à la compréhension et à la discussion qu'à la mémorisation. On trouve également des documents authentiques plus riches (photos, plans, dépliants, etc.) faisant davantage appel à l'imagination et à la créativité linguistique des étudiants.

Ces pages comportent des exercices écrits pouvant servir soit de renforcement, soit de préparation directe à des épreuves d'examens écrits. Il ne faut donc pas s'étonner de leur trouver un caractère délibérément scolaire ; exercices de compréhension, de traduction, d'expression ou de dictées. Pour ces dernières, comme pour les exercices de traduction de langue maternelle en français, on a donné un cadre de « messages » correspondant à la réalité et permettant un élargissement vivant des exercices (élèves demandant des éclaircissements sur le message, comme ils le feraient au téléphone, répétant les messages à partir de notes, etc.). Ces exercices, enfin, même s'ils apparaissent groupés sur deux pages, doivent évidemment être étalés sur plusieurs séances (ceci est vrai, en particulier, pour les dictées).

La quatrième partie, consacrée à la correspondance hôtelière, est divisée en 4 chapitres. Mais si les trois premiers recouvrent les situations principales :
- renseigner,
- réserver, confirmer, annuler, modifier,
- correspondre après le séjour,

le dernier chapitre représente une synthèse en proposant deux « cas professionnels » suivis de bout en bout, l'un avec des particuliers, l'autre avec des entreprises.

Une grande attention est apportée à la présentation des lettres « à la française », et on ne saurait trop conseiller d'imposer dès le début, pour la présentation des lettres à rédiger, une mise en page complète et correcte. Pour chaque type de lettre et de télex, on donne un modèle suffisamment standard, permettant la rédaction de lettres ou de télex de même nature en leur apportant les variations de détail nécessaires. Ici encore, comme pour les dictées, il est bien évident que le regroupement des lettres et des télex en une partie distincte ne signifie nullement qu'il faille attendre d'avoir couvert les trois premières parties pour aborder la correspondance hôtelière. Bien au contraire, dès que le professeur le juge utile, ceci doit être introduit parallèlement aux leçons à caractère plus oral. Une grande place est accordée aux télex.

Le manuel s'accompagne de **cassettes.** Pour le choix des enregistrements, les exercices mettant en scène plus de deux locuteurs ont été écartés. S'il existe des exercices du type traditionnel « stimulus-blanc-réponse », on trouvera par contre aussi divers enregistrements destinés à être seulement écoutés et n'impliquant ni répétition ni réponse de l'élève. Il s'agit :

1/ bien entendu des dialogues (pour lesquels les répétitions se feront en classe avec variantes),

2/ des messages constituant les dictées,

3/ du corrigé de certains exercices n'impliquant pas une tournure dialoguée ou pouvant être faits aussi bien par écrit qu'oralement.

Le contenu des enregistrements figure en annexe, p. 184.

Notre but principal tout au long de la conception et de l'élaboration a été de créer un outil de travail utile pour nos collègues responsables d'un enseignement du français à caractère hôtelier ou touristique. Nous serons heureux de toute réaction de leur part nous permettant d'évaluer dans quelle mesure cet objectif a été atteint.

LES AUTEURS

Partie 1

A la réception

Chapitre 1 : Accueillir

Situation 1 : « Nous sommes heureux de vous accueillir... »

Actes de communication courants

1 Des clients de passage

Le réceptionnaire[1]	Bonjour, Madame. Bonjour, Monsieur.
Le client	Bonjour. Est-ce que vous avez une chambre ?
Le réceptionnaire	Je pense que oui, Monsieur. Pour deux personnes ?
Le client	Oui, avec bain et w.-c.
Le réceptionnaire	Deux personnes... avec bain et w.-c... Pour combien de nuits ?
Le client	Deux nuits... Peut-être plus... On verra.
Le réceptionnaire	Deux nuits... Oui, c'est possible. Chambre 306, au troisième étage.

Combien y a-t-il de clients ? Comment est-ce que le réceptionnaire accueille les clients ? Que répond le client ? Qu'est-ce que le client veut ? Comment est-ce qu'il le demande ? Quel type de chambre est-ce que le client veut ? Pour combien de temps ? Quelle chambre est libre ? A quel étage ?

Redites le dialogue. Faites varier : la façon de demander, le type de chambre, le nombre de nuits, le numéro de la chambre et l'étage.

Le client	C'est une chambre à combien ?
Le réceptionnaire	177 francs la nuit, Monsieur.
Le client	Toutes taxes comprises ?
Le réceptionnaire	Oui, Monsieur. Prix net, service et taxes compris.
Le client	Avec les petits déjeuners ?
Le réceptionnaire	Non, Monsieur, sans petit déjeuner.

Quel est le prix de la chambre ? Est-ce que les petits déjeuners sont compris ? Qu'est-ce que « prix net » veut dire ?

Redites le dialogue ; donnez les prix suivants : 152 F, 218 F, etc.

Le réceptionnaire	Avez-vous des bagages ?
Le client	Oui, dans la voiture, mais je n'ai pas pu la garer devant l'hôtel.
Le réceptionnaire	Ça ne fait rien, le chasseur va les prendre.
Le client	Nous allons avec lui.
Le réceptionnaire	Il vous conduira ensuite à votre chambre.

Où sont les bagages ? Où est la voiture ? Qui portera les bagages ? Qui montrera la chambre ?

Redites l'ensemble du dialogue en faisant varier le maximum d'éléments (type de chambre, nombre de nuits, numéro de chambre, prix, voiture garée devant l'hôtel, etc.).

2 Des clients attendus

Mme Codoux	Bonsoir, Madame. Nous sommes Monsieur et Madame Codoux. Nous avons réservé une chambre pour deux personnes.
La réceptionnaire	Bonsoir, Madame. Bonsoir, Monsieur. Un instant, je regarde... Madame Codoux... Voilà. Une chambre avec douche pour quatre nuits, n'est-ce pas ?
M. Codoux	Oui, nous repartons vendredi matin.
La réceptionnaire	Voilà, Monsieur. Chambre 428, au quatrième étage. On vous accompagne tout de suite et on monte vos bagages.

 Quel jour est-ce que la scène se passe ? Est-ce le matin ? le soir ? Quel type de chambre est-ce que M. et Mme Codoux ont réservé ? Quelle chambre est-ce qu'ils ont ?

Redites le dialogue : la chambre est pour une seule personne ; faites varier le type, le numéro, l'étage.

3 L'hôtel est complet

Une cliente	Monsieur... Est-ce qu'il vous reste une chambre, pour trois nuits ?
Le réceptionnaire	Bonjour, Madame. Pour une seule personne ?
La cliente	Non, pour deux personnes.
Le réceptionnaire	Alors, non, Madame. Je suis désolé, mais il ne me reste qu'une seule chambre avec un lit pour une personne.
La cliente	Tant pis. Au revoir, Monsieur.
Le réceptionnaire	Au revoir, Madame, je regrette.

 Que désire la dame ? Est-elle seule ? Qu'est-ce que le réceptionnaire peut proposer ? Comment est-ce que la dame dit bonjour ? Est-ce que le réceptionnaire répond de la même façon ? Qu'est-ce qu'il dit ?

1 Réceptionnaire ou réceptionniste ? Le dictionnaire dit réceptionniste mais la profession emploie réceptionnaire.

4

Exercices

Est-ce que vous avez
une chambre ?
Avez-vous
des bagages ?

L'interrogation
directe (1)

Écoutez ce que dit le client : Est-ce que vous avez une chambre ?
et l'employé : Avez-vous des bagages ?

Les deux formes sont correctes ; la seconde est plus polie.

Attention à l'intonation ! Ne laissez pas trop monter la voix en fin de phrase.

a) *Le client (la cliente) demande si :*
0 il (elle) peut avoir une chambre avec bain.
   → Est-ce que je peux avoir une chambre avec bain ?
1 les petits déjeuners sont compris.
2 la chambre donne sur la cour.
3 vous pouvez faire monter les bagages.
4 il (elle) peut garder la même chambre.
5 il (elle) va avoir sa chambre habituelle.
6 vous vous occupez de ses bagages.

b) *Reprenez les phrases de l'exercice a) ; répondez d'abord par « oui », en ajoutant chaque fois une remarque.*

Ex. : Est-ce que je peux avoir une chambre avec bain ?
→   Oui,   ⎰ Monsieur, ⎱ le 212, au deuxième étage.
       Bien entendu ⎱ Madame, ⎰ mais pour une seule nuit.

c) *Vous demandez au client (à la cliente, aux clients) si :*
0 ils ont des bagages.
   → Avez-vous des bagages ?
1 elle veut une chambre avec cabinet de toilette.
2 ils désirent une chambre à un grand lit.
3 il tient absolument à une chambre avec douche.
4 elle a fait bon voyage.
5 ils acceptent une chambre avec lits jumeaux.
6 il va tout de suite au restaurant.

d) *Reprenez les phrases de l'exercice c) ; répondez d'abord par « oui », puis par « non », en ajoutant chaque fois une remarque.*
Ex. : Avez-vous des bagages ?
→ Oui, ils sont dans la voiture.
   Oui, vous les monterez dans la chambre. Etc.
→ Non, nous ne restons qu'une nuit.
   Non, nous avons seulement ce sac. Etc.

Votre savoir-faire

● Comment accueillir un nouveau client

Vous êtes à la réception de l'hôtel et il arrive un ou des clients. Que dites-vous ?

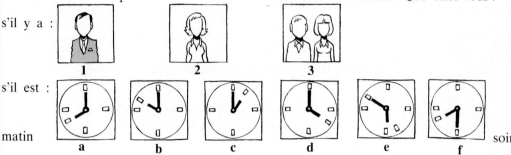

Ex. : 3 d) Bonjour, Madame ; bonjour, Monsieur ; etc. (l'intonation tombe).

● Comment dire « non »

« Alors, non, Madame, je suis désolé... »
L'employé(e) ne répond jamais « non » tout seul pour refuser. On ajoute en général :

Non,	Madame, Monsieur,	je suis navré(e) je suis désolé(e) je regrette je m'excuse	+ *fort* ↑ − *fort*	, mais...

Reprenez les phrases de l'exercice a) ; répondez par « non » et donnez une raison.
Ex. : Est-ce que je peux avoir une chambre avec bain ?

Non,	Monsieur, Madame,	je regrette[1], mais	je n'ai plus de chambre avec bain. vous pouvez avoir une chambre avec douche, etc.

● Comment refuser

Redites le dialogue 3, et faites les changements suivants :

Chambre demandée	Chambre disponible
avec bain	avec douche
avec douche	avec cabinet de toilette
pour deux personnes	pour une seule personne
pour deux personnes et un enfant	à un seul lit
pour trois nuits	pour une nuit

---

1 « Je suis désolé, je suis navré » sont trop forts dans ce cas.

Pour aller plus loin

1 Compréhension orale

Recevoir des habitués

« Ah ! Bonsoir, Monsieur Leclère. Bonsoir, chère Madame. C'est un grand plaisir de vous accueillir à nouveau ici.
— Bonsoir, Monsieur Blanchet. Nous aussi, nous sommes contents d'être ici. Mais quel voyage !
— La route a été mauvaise ?
— Mauvaise ? Vous voulez dire épouvantable ! De la pluie tout le temps... et des camions sans arrêt. Enfin, nous sommes ici, c'est l'essentiel. Nous avons le temps de monter à notre chambre avant le dîner ?
— Bien entendu. Vous avez tout votre temps. Nous vous avons réservé votre chambre habituelle.
— C'est très gentil. Nous ne prenons que cette petite valise ; nous laissons le reste des bagages.
— Oui, oui. Nous les monterons. A tout à l'heure, Madame — à tout à l'heure, Monsieur. »

Est-ce que M. et Mme Leclère ont l'habitude de descendre à cet hôtel ? Justifiez votre réponse. Qu'est-ce que dit l'hôtelier pour les accueillir ?
Comment est-ce que M. et Mme Leclère ont voyagé ? Comment s'est passé le voyage ?
M. et Mme Leclère ont voyagé par le train — par avion — par autobus. Imaginez le dialogue.

Une cliente arrive en retard

« Bonsoir, Mademoiselle. Je suis Madame Bourdier. Vous m'attendiez beaucoup plus tôt, je pense.
— En effet, Madame ; mais cela ne fait rien. Soyez la bienvenue. Vous n'avez pas eu d'ennuis, j'espère ?
— Non, mais je n'ai pas pu partir assez tôt.
— Votre chambre est réservée. Le 107. Il y a un message pour vous...
— Merci, Mademoiselle... Je peux téléphoner de ma chambre ?
— Bien sûr, Madame.
— Il est trop tard pour dîner, je pense ?
— Le restaurant est fermé, mais je vais voir ce que l'on peut vous préparer. »

RHODIA **MESSAGE**

Communication reçue à 18ᴴ45 heures, le 27.3.80

de M. MICHARD

pour Mᵐᵉ BOURDIER

☐ a téléphoné sans laisser de message,

☐ demande de le rappeler au N°

☒ a laissé le message suivant :

Passera vous chercher à l'hôtel demain matin vers 8ᴴ30

2 Expression orale

Imaginez les dialogues possibles.

3 Dictée

Avant l'arrivée d'un client français, une personne téléphone et désire laisser un message en français. Vous devez prendre en note :
1) qui appelle, 2) l'heure, 3) le message lui-même.
On vous dicte ces éléments que vous écrivez pour six clients différents.

	Personne qui appelle le client :	Heure	Message :
1	son directeur	8 h 10	Rappeler dès que possible le 58-72-14.
2	sa femme	16 h 35	Téléphoner ce soir vers 21 h.
3	sa fille	12 h 40	Passera après-demain matin.
4	son ami Robert	13 h 05	Demande de rappeler demain.
5	son père	10 h 12	Annonce la naissance d'un fils.
6	sa cousine	22 h 30	La mère du client est gravement malade.

4 Traduisez en français

Une personne[1] de même nationalité que vous laisse un message pour un client français absent de l'hôtel. Elle vous dit le message dans votre langue, mais vous, vous le traduisez en français.

1 Dans chaque classe le professeur, ou un élève, joue le rôle de cette personne et improvise le texte des messages.

Situation 2 : « Je vais faire tout ce que je peux. »

Actes de communication courants

1 Remplir les fiches de voyageur

« Pardon, Monsieur, mais j'ai besoin de votre passeport et de celui de Madame, pour remplir les fiches.
— Nous n'avons pas de passeport, mais seulement nos cartes d'identité.
— Ça ira parfaitement... Merci, Monsieur.
— Vous les gardez? Nous devons aller à la banque et...
— Juste le temps de remplir les fiches. Je vais faire aussi vite que possible. Dans dix minutes, ce sera fait. »

Comment l'employé attire-t-il l'attention du client? Il peut aussi dire : « S'il vous plaît, Monsieur, j'ai besoin... » ou encore : « Excusez-moi, Monsieur, mais... »

Que demande l'employé? Que peut donner le client? Pourquoi le client veut-il garder sa carte d'identité?

Votre client n'a pas sa carte d'identité sur lui. Demandez-lui les renseignements pour remplir sa fiche de voyageur.
(Utilisez, si possible, une fiche de votre pays.)

FICHE DE VOYAGEUR

Ch. N°

NOM : _____
Name in capital letters   (écrire en majuscules)
Name (in Druckschrift)

Nom de jeune fille : _____
Maiden name
Mädchen Name

Prénoms : _____
Christian names
Vorname

Né le : _____ à _____
Date and place of birth
Geburtsdatum · Geburtsort

Département : _____
(ou pays pour l'étranger)
Country · Für Auslander Angabe des Geburtslandes

Profession : _____
Occupation
Beruf

Domicile habituel : _____
Permanent address
Gewohnlicher Wohnort

NATIONALITÉ
Nationality
Nationalitat

T.S.V.P.

(Please turn over · Bitte wenden)

Nombre d'enfants de moins de 15 ans accompagnant le chef de famille : _____
Accompanying children under 15
Zahl der Kinder unter 15 Jahren die den Familienvorstand begleiten

PIECE D'IDENTITE PRODUITE

Nature : _____

Pour les étrangers seulement
(For aliens only) · (Nur für Ausländer)

CARTE D'IDENTITÉ OU PASSEPORT
CERTIFICATE of IDENTITY or PASSPORT
(cross out word not available)
AUSWEIS · PASS

N° _____ **délivré le** _____
Issued on · Ausgestellt den

à _____ **par** _____
at   by
in   durch

Date d'entrée en France _____
Date of arrival in France
Datum der Einreise in Frankreich

_____ , le _____

Signature:
Unterschrift

---

2 Aider le client à trouver une chambre

Un client   Je vois que vous affichez complet. Vous n'avez vraiment plus de chambre? C'est impossible!

Le réceptionnaire   Plus aucune, Monsieur. Je suis désolé. Nous sommes complets depuis deux jours.

Le client	Vous connaissez un hôtel de même catégorie[1] dans le quartier ?
Le réceptionnaire	Oui, Monsieur : plusieurs. Je peux téléphoner si vous voulez. Ou préférez-vous y aller vous-même ?
Le client	Téléphonez, s'il vous plaît. Une chambre pour deux personnes, si possible avec douche et w.-c.

 Combien de personnes arrivent ? Que veulent-elles ? Croient-elles que l'hôtel est complet ? Depuis quand l'hôtel est-il complet ? Que propose l'employé ? Que va-t-il faire ?
Redites le dialogue et faites les changements suivants :
— l'hôtel est complet depuis : une semaine, hier soir, trois jours, etc.,
— on cherche un autre hôtel : dans la rue, sur le boulevard, dans l'avenue,
— le type de chambre change.

Le réceptionnaire	Voilà, Monsieur. Vous avez une chambre, douche, w.-c., au deuxième étage à l'hôtel *Argana,* à 210 francs la nuit, petits déjeuners compris, prix nets.
Le client	C'est loin d'ici ?
Le réceptionnaire	Non. Vous tournez à droite en sortant de l'hôtel ; vous prenez la deuxième rue à gauche, puis la première à droite et vous verrez l'hôtel *Argana* en face de vous.

 A quel hôtel le réceptionnaire a-t-il trouvé une chambre ? Décrivez cette chambre.

Faites un plan du trajet entre les deux hôtels.

Redites le dialogue et faites varier au moins cinq détails (ex. : une chambre, bain, w.-c. au troisième étage, etc.).

---

1 Les catégories d'hôtels en France : depuis une étoile. Nouvelles Normes, ＊NN, jusqu'à ＊＊＊＊NN, luxe. Voir les caractéristiques, page 13.

Les gaffes de Léon, réceptionnaire

Exercices

Vous n'avez vraiment plus de chambre ? C'est loin d'ici ?

L'interrogation directe (2)

Écoutez les dialogues : le client emploie cette forme de question, mais pas l'employé(e).

a) *Vous entendez :* Vous connaissez un hôtel de même catégorie ?
   et vous dites : Connaissez-vous un hôtel de même catégorie ?
   puis : Est-ce que vous connaissez un hôtel de même catégorie ?

1 Le parking est près de l'hôtel ?
2 Vous désirez manger tout de suite ?
3 Quelqu'un peut téléphoner à un autre hôtel ?
4 Vous préférez y aller à pied ?
5 Vous laissez vos bagages dans la voiture, Monsieur ?
6 L'hôtel *Argana* est de la même catégorie ?

b) *Trouvez d'autres phrases que vous transformez soit avec « est-ce que » (3ᵉ personne), soit avec l'inversion (2ᵉ personne).*

c) *Reprenez ces questions et répondez par « oui », puis par « non » en ajoutant une remarque. Attention ! Pour les réponses avec « non », lorsque c'est l'employé(e) qui répond, rappelez-vous ce qui est indiqué page 5.*

C'est impossible !

Donner le contraire d'un mot (1)

Comparez : Je peux manger au restaurant à cette heure-ci ?
   — Oui, Monsieur, c'est encore possible.
   — Non, Monsieur, je suis désolé(e) mais c'est impossible. Le restaurant est fermé ; on peut vous proposer un sandwich.

a) *Vous entendez :* Je trouve que les employés sont très patients.
   et vous répondez : Moi, je les trouve plutôt impatients.

1 Je pense que l'affaire est possible.
2 Je trouve son mari très prudent.
3 Je croyais que ses réactions étaient volontaires.
4 Je trouve que ses explications sont vraisemblables.
5 Je juge son attitude discrète.
6 Je crois que son effort est utile.

b) *Faites des phrases en utilisant les mots suivants, ou leur contraire :*
perméable, possible, mobile, connu, dépendant, capable.

Votre savoir-faire

• Comment proposer un autre service que celui désiré par le client

Regardez (cf. p. 6) : Le restaurant est fermé, mais je vais voir ce que l'on peut vous préparer.

	Ce que désire le client (ou la cliente) :	Ce que dit l'employé : l'excuse	la proposition
0	Il veut manger mais il est tard.	Le restaurant ne sert plus.	On pourra peut-être préparer quelque chose.
1	... des chambres communicantes.	Il y en a peu dans l'hôtel.	Le lendemain, ce sera peut-être possible.
2	... un garage gardé pour sa voiture pleine de bagages.	L'hôtel n'a qu'un parking.	Vous allez téléphoner à un hôtel voisin.
3	... un petit lit supplémentaire pour un enfant.	Vous n'avez pas été prévenu(e).	Vous allez tout de suite faire monter un lit.
4	... une chambre avec télévision.	Aucune chambre n'a la télévision.	L'hôtel a un salon très confortable avec la télévision.
5	... une chambre avec des lits jumeaux.	Vous n'avez que des chambres avec grand lit.	Il reste une chambre avec deux grands lits.
6	Il vous demande de trouver une chambre dans un autre hôtel.	Il y a beaucoup de monde partout et il est tard.	Vous allez téléphoner dans quelques hôtels du quartier.

Imaginez le dialogue adapté pour chaque situation.

• Comment indiquer le chemin

Votre hôtel est complet, mais vous réussissez à loger six à sept clients français (ou couples, ou familles) dans les divers hôtels du quartier. Chaque fois, il faut savoir quel type de chambre veulent les clients, dire ce que vous avez trouvé, à quel prix et indiquer comment aller à l'hôtel, à pied. Utilisez le plan ci-dessous.

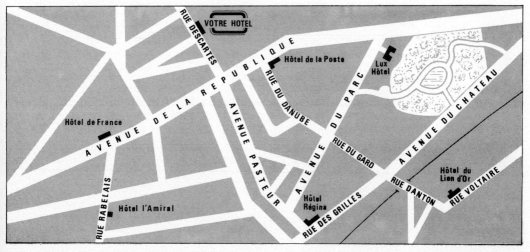

Pour aller plus loin

1 Compréhension orale

Le client n'est pas content de sa chambre.

« Réception, à votre service.
— Ici, c'est la chambre 306. Dites-moi, notre chambre donne sur la rue. On ne va pas pouvoir dormir.
— Excusez-moi, Monsieur ; pour deux nuits avec bain et w.-c., c'est tout ce qui me reste aujourd'hui. Mais vous savez, il passe très peu de monde dans la rue...
— Vous n'avez vraiment rien d'autre ?
— Pour deux nuits, non, je suis désolé. Peut-être pour une nuit, mais vous serez obligé de changer de chambre demain.
— Ça ne fait rien.
— Je vais voir, Monsieur. Je vous rappelle dans un moment. »

 Où est le client ? Où est l'employé ? Comment se parlent-ils ? Décrivez la chambre 306.

Combien de nuits le client va-t-il rester ? Est-il content ? Pourquoi ? Que demande-t-il ? Qu'explique l'hôtelier ? Que propose-t-il ?

Redites le dialogue et faites les changements suivants.

n° de la chambre	le reproche du client à propos de la chambre	votre excuse
117	Elle est au-dessus du bar et du restaurant.	Pas de client après 10 heures.
428	... face à l'ascenseur.	Il est moderne et ne fait pas de bruit.
204	... à côté de l'office.	Il est utilisé seulement à partir de 8 heures pour les petits déjeuners.
512	... à l'avant-dernier étage.	Le dernier étage n'est pas habité.
311	... à côté des w.-c.	Peu utilisé ; toutes les chambres ont des w.-c. particuliers.
101	... au-dessus des cuisines.	Le petit déjeuner est préparé dans la cafétéria.

2 Compréhension écrite

Un couple se présente dans un hôtel très chic :
« Je voudrais une chambre pour ma femme et pour moi-même.
— Avec vue sur la mer ? » demande le réceptionnaire.
Le monsieur se tourne vers la jeune femme et lui dit :
« Tu veux avoir la vue sur la mer, chérie ? »
Et elle lui répond :
« Oui, Monsieur. »

Hervé Nègre, *Dictionnaire des Histoires drôles*, A. Fayard.

3 Les catégories d'hôtels en France

	Description des aménagements		*NN	**NN	***NN	****NN	****NN Luxe
1	Eau courante, froide et chaude, dans la chambre à toute heure		x	x	x	x	x
2	Chauffage central		x	x	x	x	x
3	Volets ou rideaux aux fenêtres		x	x	x	x	x
4	Lavabo avec robinet mélangeur dans la chambre		x	x	x	x	x
5	Prise de courant pour rasoir (cabinet de toilette ou salle de bain)		x	x	x	x	x
6	Téléphone intérieur dans toutes les chambres		x	x	x	x	x
7	Téléphone avec le réseau dans toutes les chambres				x	x	x
8	Hall de réception et salon d'une surface de		9 m² minimum	30 m² minimum	60 m² environ	100 m² environ	150 m² environ
9	Ascenseur obligatoire pour monter au			4e étage	3e étage	2e étage	1er étage
10	Suites ou appartements						x
11	Garages ou parkings				x	x	x
12	Petit déjeuner servi dans les chambres			x	x	x	x
13	Le personnel doit parler	1 langue	x	x			
		anglais + 1 langue			x	x	x
14	Surface minimum des chambres	1 personne	8 m²	8 m²	9 m²	10 m²	10 m²
		2 personnes	9 m²	9 m²	10 m²	12 m²	14 m²
15	Nombre de chambres avec	douche ou bain		30 %	70 %	90 %	
		douche et bain				50 %	100 %
16	Nombre de chambres avec W.-C. particuliers			20 %	50 %	90 %	100 %

N.B. Les chiffres indiqués représentent un minimum. (d'après le *Journal Officiel* du 28 septembre 1974.)

4 Les catégories d'hôtels en France et dans votre pays

a) Un client français vous dit qu'il cherche une chambre à un certain prix. Vous lui dites le confort qu'il aura pour cette somme (utilisez le tableau ci-dessus).

b) Comparez les catégories d'hôtels en France et dans votre pays.

Chapitre 2 : Renseigner

Situation 1 : Renseigner sur l'hôtel

Actes de communication courants

1 La situation de l'hôtel

La cliente   Allô, allô... Dites-moi... avant de terminer. Comment est situé votre hôtel ?

L'employé   Nous ne sommes pas en pleine ville, mais un peu à l'extérieur, pas très loin d'un petit bois. C'est très calme. L'accès en ville est facile. En voiture, vous êtes à peu près à dix minutes, un quart d'heure du centre.

La cliente   Parfait. Alors vous réservez, comme convenu.

    Est-ce le début de la conversation téléphonique ?
Justifiez votre réponse.
Comment imaginez-vous l'hôtel ?

    Mémorisez le dialogue, puis faites le premier exercice, p. 17.

2 Faire connaître l'hôtel

Le client   Ah ! Dites-moi. J'ai des amis qui aimeraient peut-être descendre une dizaine de jours dans votre hôtel. Vous pouvez me donner les tarifs ?

Le réceptionnaire   Bien entendu, Monsieur. Chambre seule ? Demi-pension ? Pension complète ?

Le client   En pension complète. Vous n'avez pas une carte de la maison ?

Le réceptionnaire   Si, Monsieur... Vous chargez-vous de l'envoyer ?... Merci infiniment. Vous êtes très aimable.

Hôtel d'Angleterre ★NN
14, place d'Allier
03200 Vichy
TÉLÉPH. (70) 32-16-32

• 2 jardins ombragés • Chauffage central 22 nos
• 50 CHAMBRES • Salle de bains et douches
• Tout confort
• Salon de télévision
▸ RESTAURANT, Cuisine soignée, Table VRP
▸ Noces, Banquets, Repas d'affaires

Mme S. Agostinis
OUVERT TOUTE L'ANNÉE

TARIF 1980

Hors Saison	Saison
•	JUIN · JUILLET · AOUT •
PENSION COMPLÈTE	PENSION COMPLÈTE
1 personne : 62/82	1 personne : 68/88
2 personnes : 58/77	2 personnes : 65/85

PRIX NET · TAXE DE SÉJOUR EN SUS

V.R.P. : Voyageurs, Représentants, Placiers
(conditions spéciales pour voyageurs de commerce).
En sus : en plus.

3 Un dépliant

L'hôtel *Président* (av. Santa Coloma, 40 - Andora la Vella)

HOTEL PRESIDENT. 90 chambres, toutes équipées avec salle de bains, téléphone direct, T.V., radio et ambiance musicale ainsi que mini-bar. 7 ascenseurs. Bar et Restaurant panoramique au 6ème, étage. Cuisine soignée. Salons pour réunions et conférences, conçues pour Congrès et Séminaires. Piscine climatisée et piscine pour enfants. Terrasse solarium. Garage. Discothéque insonorisée. En projet: Saunas dans l'Hôtel et Club de Tennis à proximité.

Appartements de grand confort. Terrasse, Téléphone direct, TV, radio et ambiance musicale. Entièrement aménagés. Cuisine et réfrigérateur. Service de nettoyage journalier. Capacité: 2-8 personnes. Garage.

a) A partir de la description des chambres, faites un texte avec des phrases complètes. Si possible, n'utilisez ni « est », ni « a » tout seuls, ni « il y a ».
Ex. : L'hôtel *Président* possède 90 chambres. Elles sont toutes équipées d'une salle de bains. Pour téléphoner des chambres, on ne doit pas passer par la réception, etc.

b) Même exercice avec le texte sur les appartements.

c) Donnez une description d'hôtels de votre pays que vous connaissez (texte complet et texte pour dépliants).

Exercices

Vous êtes très aimable.
aimer → *aimable*

La dérivation
des mots (1)
verbe → adjectif

a) *Donnez les adjectifs correspondant aux verbes suivants :*
1 supporter   2 discuter   3 excuser   4 chauffer
5 habiter   6 manger   7 pardonner.

b) *On vous demande :* Comment pouvez-vous supporter ce bruit ?
et vous répondez : Mais... il est tout à fait supportable.
1 Comment pouvez-vous discuter un tel projet ?
2 Comment pouvez-vous excuser une telle erreur ?
3 Comment pouvez-vous chauffer cette pièce ?
4 Comment pouvez-vous habiter ce quartier ?
5 Comment pouvez-vous manger ce plat ?
6 Comment pouvez-vous pardonner cette faute ?

c) *On vous donne :*

laver - nettoyer - plier | projet - attitude - personne
préférer - présenter | tissu - chaise - travail
remarquer - négliger | solution - costumes - etc.

Mettez les noms qui conviennent avec les adjectifs correspondant aux verbes. Il peut y avoir plusieurs adjectifs pour un seul nom.

Ex. : Ce projet est
préférable.
remarquable.
négligeable.

N.B. : un rasoir (stylo) jetable ; un stylo rechargeable ; une T.V. portable.

Discothèque
insonorisée

son → *sonorisé*
→ *insonorisé*

expliquer
→ *explicable*
→ *inexplicable*

Donner le contraire
d'un mot (2)

a) *Reprenez les noms et verbes de l'exercice b) et faites des phrases sur le modèle :*
Ce bruit est supportable, mais celui-ci est tout à fait insupportable.

b) *Trouvez d'autres mots pour faire des phrases semblables.*

c) *Tous les adjectifs en « -able » n'ont pas obligatoirement une forme en « in- (ou un-) -able ». C'est le cas pour les adjectifs correspondant aux verbes de l'exercice c) ci-dessus.*
Reprenez les mots de cet exercice et faites des phrases sur le modèle :
Ce projet-là est remarquable, mais celui-ci n'est pas remarquable du tout.

Votre savoir-faire

● **Comment indiquer la situation d'un hôtel**

L'hôtel est situé	en plein centre un peu à l'extérieur } de la ville.		
	en pleine { campagne. montagne.		
	au bord { de la mer. du lac.		
	près pas très loin { d'un parc. des magasins. de la plage, etc. entre... et...		

1 Choisissez des hôtels de votre ville et indiquez leur situation.
2 Même exercice pour des hôtels à partir de dépliants (mer, montagne, etc.).

● **Comment renseigner les clients sur la nature de la chambre**

C'est une chambre	pour { une deux } personne(s).
	à { un grand lit. lits jumeaux.
	à { un seul deux } lit(s).
	avec sans } lit supplémentaire.

Complétez le dialogue suivant : « Je désire une chambre...
— Je regrette, nous n'avons plus que des chambres... »

Ex. : « Je désire une chambre à lits jumeaux.
— Je regrette, nous n'avons plus que des chambres à un grand lit. »

● **Comment renseigner les clients sur le confort de la chambre**

C'est une chambre	avec { cabinet de toilette. salle de bains.
	avec { douche w.-c. bain salle de bains } à l'étage.
	sans { douche. bain. w.-c.

Donnez sept ou huit prix de chambres différents en monnaie de votre pays.

Faites des dialogues d'après le modèle suivant :
« Pour (somme), quelle chambre est-ce que je peux avoir ?
— Vous pouvez avoir une chambre... »
Attention ! Le type de chambre doit correspondre au prix.

Pour aller plus loin

1 Compréhension orale

Une réservation par téléphone après une négligence de l'hôtel

« *Hôtel Continental.* Bonjour.
— Bonjour, Madame. Je peux avoir des renseignements sur vos conditions de séjour ?
— Bien sûr, Monsieur.
— J'ai déjà écrit à l'hôtel le mois dernier, mais comme je n'ai pas encore de réponse...
— Le mois dernier, vous dites ? C'est tout à fait inexplicable. Je suis désolée, Monsieur et...

● — Ça ne fait rien. Il vous reste encore une chambre pour deux personnes et un enfant, pour le prochain week-end ?
— Oui, Monsieur. Avec bain et w.-c. ?
— Oui, bain ou douche, peu importe. C'est sur le devant de l'hôtel ?
— Oui, Monsieur, toutes nos chambres sont sur la façade, avec vue sur la vallée et le village.
— A combien ?
— Cent vingt-deux francs la nuit, toutes taxes comprises.
— Petits déjeuners non compris ?
— Oui, petits déjeuners en plus. C'est huit francs le petit déjeuner.

● — Bon. Vous nous réservez une chambre de vendredi soir à lundi matin. Au nom de Mercier. Nous arriverons certainement assez tard vendredi.
— Ça ne fait rien, Monsieur Mercier. Le veilleur de nuit sera là, et nous vous garderons la chambre. Entre-temps, je vérifierai pourquoi vous n'avez pas eu de réponse.
— Je vous remercie. A vendredi, donc.
— Au revoir, Monsieur. A vendredi. »

 Quel est l'hôtel ? Qui est à la réception ? Qui téléphone ?

Pourquoi M. Mercier est-il obligé de téléphoner ? Que fera la réceptionnaire avant son arrivée ?

Décrivez la chambre qui est réservée.

Quand la famille Mercier arrivera-t-elle ? Quand partira-t-elle ? Combien de nuits logera-t-elle à l'hôtel ?

Combien M. Mercier paiera-t-il le lundi matin si la famille n'a pas pris les petits déjeuners à l'hôtel ? Si elle les a pris à l'hôtel ?

● Séquences possibles pour découper le dialogue.

2 Compréhension écrite

vous logez a l'hôtel

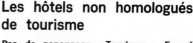

PIEM

Il en existe deux catégories :

Les hôtels de tourisme

Un panonceau est apposé à l'extérieur portant la mention « hôtel de Tourisme » et indiquant le nombre d'étoiles de l'établissement. La mention « NN » indique un établissement classé selon de nouvelles normes qui sont plus complètes que les anciennes et signale un meilleur confort.

Les hôtels non homologués de tourisme

Pas de panonceau « Tourisme ». En général le confort est moindre, mais les prix sont moins élevés. Il existe aussi diverses catégories.

Pour toutes les catégories, Tourisme ou non, vous trouverez, à la réception et à la caisse, une affiche comportant la catégorie de l'hôtel, le prix (taxes et service compris) de chaque type de chambre (avec salle de bain, cabinet de toilette, eau courante, etc.) :

— pour une ou deux personnes,
— à la journée ou au mois,
— du petit déjeuner,
— de la pension ou demi-pension (boissons comprises ou non comprises).

Ces mêmes indications doivent être affichées dans chaque chambre, en principe derrière la porte d'entrée.

Vacances sans sur-prix, vacances sans surprise, 1976. Direction générale de la concurrence et de la consommation, Ministère de l'Économie, Paris.

3 Expression écrite

Dans un guide d'hôtels, vous trouvez :

Hôtel de Paris (***NN), Rest. (****), 21 place de Paris, 33 ch. - Gar. - Prix T.T.C. : ch. 40 à 120 - R. : 40 à 68 - P.C. 90 à 150 - Tél. 44-00-58.

Hôtel du Parc (**NN) - 47 place du Marché, 21 ch. - P. Prix T.T.C. : ch. 35 à 75 - R. 25 à 50 - P.C. 75 à 90 - Tél. 58-32-30.

Hôtel Le Français (*NN), place de la Liberté, 19 ch. - S.R. Prix T.T.C. : ch. 24 à 28 - Tél. 92-54-78.

Hôtel de l'Agriculture, route d'Orléans, 6 ch. - Gar. - S.R. Prix T.T.C. : ch. 15 à 25 - Tél. 42-12-06.

T.T.C. : toutes taxes comprises ; Gar. : garage ; P. : parking ; Ch. : chambres ; R. : repas. Rest. : restaurant ; S.R. : sans restaurant ; P.C. : pension complète.

Écrivez un petit paragraphe pour décrire chacun de ces hôtels.
Ex. : L'*Hôtel de Paris* est un hôtel de tourisme de la catégorie trois étoiles. Il se trouve 21 place de Paris, etc.

Situation 2 : Renseigner sur la vie à l'hôtel

Actes de communication courants

1 Les heures des repas

Une cliente	On peut prendre le petit déjeuner à partir de quelle heure ?
La réceptionnaire	De 7 h à 10 h au restaurant, de 7 h 30 à 10 h 30 dans les chambres.
La cliente	Et les autres repas ?
La réceptionnaire	Le déjeuner à partir de midi et nous acceptons les clients jusqu'à 14 h. Le soir, nous servons entre 19 h et 21 h.

Faites le tableau des heures des repas dans cet hôtel.

Les heures des repas sont-elles les mêmes dans votre pays ? Dans toutes les catégories d'hôtels ? Faites les tableaux qui correspondent.

Jeu de rôle : Vous êtes à la réception d'un de ces hôtels. Vous répondez à un client.

2 La garde de nuit

Un client	Vous avez un veilleur de nuit ? On peut rentrer à n'importe quelle heure ?
La réceptionnaire	Oui, Monsieur. Jusqu'à minuit, la porte est ouverte. Après, vous sonnez et le veilleur vous ouvrira.
Le client	Parfait. Tenez, j'ai une carte. Vous vous chargez de l'envoyer ? Merci.

Y a-t-il un veilleur de nuit ? A quelle heure la porte est-elle fermée à clef ? Que se passe-t-il quand on rentre après minuit ? Quel type de carte a le client ?

Redites le dialogue ; la porte est fermée à partir de 10 h, 10 h 30, 11 h, etc., 1 h.

Redites le dialogue : il n'y a pas de veilleur de nuit ; lorsque la porte est fermée, le client sonne et la porte s'ouvre automatiquement.

3 Les chiens dans l'hôtel

La réceptionnaire	Je suis désolée, Madame, mais les chiens ne sont pas admis au restaurant.
La cliente	Comment ! C'est à peine croyable ! Les chiens ne sont pas admis dans votre hôtel ?
La réceptionnaire	Si, Madame, dans le hall et dans les chambres, mais pas au restaurant. Mais nous pouvons nous occuper de lui pendant que vous mangez.

Où les chiens sont-ils admis ? Où ne sont-ils pas admis ? Que propose la réceptionnaire ? Comment vous imaginez-vous la dame ?

4 Les facilités qu'offre l'hôtel

« Vous avez une plage privée pour l'hôtel ?
— Non, Monsieur. Mais la piscine est réservée aux clients de l'hôtel.
— On peut avoir des serviettes de plage ?
— Certainement, Monsieur. Nous pouvons aussi vous prêter des nattes et sur la plage, vous pouvez louer des parasols, des chaises longues... Tout ce que vous voulez. »

Qu'est-ce qui est privé ? public ? Qu'est-ce que l'hôtel peut prêter ? Que peut-on louer ? (à la mer) (à la montagne)

Redites le dialogue : l'hôtel est à la mer / à la montagne.

5 Les distractions qu'offre l'hôtel

« Et qu'est-ce qu'on peut faire, à cinq heures, quand on est rentré du ski ?
— Vous avez diverses possibilités dans la station, mais l'hôtel organise aussi des distractions.
— Ah, bon ! Quoi, par exemple ?
— Eh bien, chaque soir, à l'apéritif, nous avons dans le salon, à côté du bar, un « tournoi de jeux de société » : bridge, belote, scrabble, monopoly...
— On peut venir avec des amis de l'extérieur ?
— Oui, Monsieur, à condition qu'ils s'inscrivent. Le mardi soir, nous avons une fondue savoyarde, le jeudi une soirée dansante, le samedi la « soirée surprise », et, tous les soirs, le petit club dansant à côté du bar. Le barman pourra vous donner toutes les précisions sur cela. »

Faites le tableau des distractions offertes pendant la semaine. Imaginez d'autres tableaux de distractions pour chaque jour de la semaine.

Jeu de rôle : suivant un des tableaux que vous avez faits, vous répondez.

Haut : Fronval — Corse, Propriano.
Bas : Diatec, ph. Lambert — Savoie, Les Arcs.

Exercices

<table>
<tr><td>L'interrogation
directe (3)</td><td>

Le client dit : Vous vous chargez de l'envoyer ?
mais l'employé dit : Vous chargez-vous de l'envoyer ? (voir p. 14, dial. 2).

a)

comment pourquoi quand où	s'arrêter - se baigner - s'appeler s'étonner - se chauffer - se marier se soigner - se promener - se retourner	(s'il vous plaît)

Utilisez les mots des deux colonnes pour poser des questions sur le modèle :
Pourquoi vous arrêtez-vous ?
Dites chaque fois la situation. Par exemple :
Deux messieurs marchent dans la rue. Un monsieur s'arrête et l'autre demande : Pourquoi vous arrêtez-vous ?

b) *Quelqu'un, devant vous, demande à une troisième personne :*
Je peux vous demander pourquoi vous vous dépêchez ?
et vous demandez à votre tour :
Oui, pourquoi vous dépêchez-vous ainsi ? *Utilisez successivement :*
se défendre - s'installer - se sauver - se taire - se cacher - se gêner.

c) *Même exercice ; vous ajoutez une remarque, une précision, une réflexion.*
Ex. : Oui, pourquoi vous dépêchez-vous ainsi ; nous avons le temps.

</td></tr>
</table>

C'est à peine croyable !

La cliente dit la même chose qu'avec : C'est incroyable !
croire → croyable → incroyable.

La dérivation
des mots (2)
verbe → adjectif

a) *Complétez le tableau :*

1	croire	croyable	incroyable	6	vendre		
2	boire			7	vivre		
3	faire			8	défendre		
4	prendre	✕		9	battre	✕	
5	tenir			10	mettre		

b) *On vous dit :* Cette histoire est à peine croyable.
et vous approuvez : Je dirais même qu'elle est tout à fait incroyable.

Continuez en utilisant les mots suivants :
2 vin, 3 travail, 5 situation, 6 article, 7 pays, 8 position, 10 costume. *Trouvez d'autres mots.*

---

*Les chiens
ne sont pas admis
dans votre hôtel ?
— Si, Madame.*

Répondre avec Si (1)

a) *Répondez affirmativement aux questions suivantes :*
1 Vous n'avez pas une chambre pour deux personnes ?
2 Vous n'avez pas d'ascenseur ?
3 Vous ne pouvez pas téléphoner à un autre hôtel ?
4 Vous n'avez pas reçu de message pour moi ?
5 Vous ne me rendez pas mon passeport ?
6 Vous ne servez pas les petits déjeuners dans les chambres ?

b) *Reprenez l'exercice ; vous ajoutez chaque fois une précision.*
Ex. : Vous n'avez pas une chambre pour deux personnes ?

— Si, Madame, mais $\begin{cases} \text{avec des lits jumeaux.} \\ \text{sans salle de bains, etc.} \end{cases}$

Votre savoir-faire

● **Comment indiquer le prix d'une chambre**

... *somme* ... (ex. : 125 francs)	chambre et petit déjeuner petit déjeuner } compris service } non compris	toutes taxes comprises (T.T.C.)

Vous êtes à la réception de votre hôtel. Un client français arrive et vous pose les questions suivantes : Que vous reste-t-il comme chambre ? Confortable ? A quel prix ?...
Vous répondez.

● **Comment renseigner le client sur la situation de la chambre**

	calme, tranquille.
C'est une chambre	donnant sur { la { rue. cour. le { jardin, parc, etc. devant, arrière.
	avec vue sur { la { mer. montagne. campagne. le { lac. parc.
	avec } sans } balcon.

Un client vous téléphone. Vous décrivez la situation de la chambre que vous lui proposez.

● **Comment renseigner le client sur le prix du séjour à l'hôtel**

en } hors } saison	en (demi-) pension	*somme*	taxes et service compris taxe de séjour en sus tout compris

Vous renseignez un client français au téléphone, qui vous demande :
Qu'est-ce que vous proposez comme chambre ? Confortable ? Bien située ? A quel prix pour la chambre ? Et en pension ?
Vous répondez.

● **Comment renseigner le client sur ce que l'hôtel propose**

Nous { prêtons mettons à votre disposition louons	} des { serviettes de plage. chaises longues.
Vous pouvez disposer	de { skis. luges pour enfants.
Nous organisons pour vous Vous pouvez participer à	} des { soirées dansantes. tournois de bridge. jeux de société, etc.

Vous renseignez un client sur les possibilités de loisirs de l'hôtel.
L'hôtel est : a) au bord de mer,   b) à la montagne,   c) à la campagne.

Pour aller plus loin

1 Compréhension orale

Déposer des objets au coffre de l'hôtel

« C'est à vous que je dois m'adresser pour déposer quelque chose dans le coffre ?
— Oui, Madame, je peux m'en charger. Vous avez les objets ?
— Tenez, c'est cette boîte.
— Elle ne ferme pas à clef ? Alors je suis obligé de vous demander de l'ouvrir pour faire l'inventaire.
— L'inventaire ? Ça ne vous regarde pas, ce qu'il y a dedans !
— Je suis désolé, Madame, mais nous devons noter sur le reçu très exactement ce qui est déposé dans le coffre.
— C'est inouï ! Enfin. Tenez. Ouvrez vous-même. Il y a des bijoux et des chèques de voyage. »

 Où la scène se passe-t-elle ? Entre quelles personnes ? Pourquoi l'employé fait-il ouvrir la boîte ? Que donnera-t-il à la cliente ? La cliente est-elle en colère ? Pourquoi ? Qu'est-ce qui le montre ? Comment vous imaginez-vous la dame ?

2 Compréhension écrite

VICHY

GHD VICHY
GROUPEMENT des HÔTELIERS D'ÉCHANGES

PAVILLON
SÉVIGNÉ

★★★★ NN

SUR LES PARCS
52, BOULEVARD J.-KENNEDY
☎ 32.16.22

NOM ....
NAME
CHAMBRE N° ....
ROOM / ZIMMER
         1) - de la chambre
PRIX   for the bed-room only ....
PRICE   des Hotelzimmers
PREIS   1) - de la journée
         for board and lodging ....
         für Zimmer und Pension

1) - Nos prix de pension s'entendent : déjeuner, dîner, chambre et petit déjeuner compris. Nets. Taxe de séjour en sus.

1) - Our full-board terms cover apartment, breakfast, lunch and dinner. Spa-tax will be added to your bill.

1) - In unseren Pensionspreis ist inbegriffen : Mittag-und Abendessen, Zimmer und Frühstück.
Kurtaxe und nicht inbegriffen.

1) - *Rayer les mentions inutiles.*

LES SERVICES DE L'HOTEL

La direction vous souhaite la bienvenue et un agréable séjour à Vichy.

La direction décline toute responsabilité au sujet des valeurs ou objets précieux non déposés au bureau de réception.

Les repas non pris à l'hôtel ne sont pas déduits des prix de pension.

Les chiens sont admis, uniquement dans les chambres, avec supplément de 10 F par jour.

Nous prions très respectueusement nos Hôtes en séjour ou en cure de prévenir le bureau de réception de leur départ 48 h à l'avance.

Prière de bien fermer la porte de votre chambre en sortant et de confier votre clef au bureau de réception.

Aidez-nous en nous faisant part de vos suggestions ou critiques, la direction à l'avance, vous exprime sa gratitude.

LES SERVICES DE L'HOTEL

La direction vous souhaite la bienvenue et un agréable séjour à Vichy.

La direction décline toute responsabilité au sujet des valeurs ou objets précieux non déposés au bureau de réception.

Nous prions très respectueusement nos Hôtes en séjour ou en cure de s'adresser directement à la direction pour toute observation ou plainte qu'ils pourraient avoir à formuler, soit pour le service, soit pour toute autre cause, et de bien vouloir prévenir le bureau de réception de leur départ 48 h à l'avance.

Les chiens sont admis, uniquement dans les chambres, avec supplément de 10 F par jour.
Aidez-nous en nous faisant part de vos suggestions ou critiques, la direction à l'avance, vous exprime sa gratitude.

Editions du Centre / Vichy

Relevez les différences et les ressemblances dans les services proposés par les deux hôtels.

3 Traduisez dans votre langue

a) Phrases

1 Les clients voulaient une chambre avec lits jumeaux, calme, avec bain et w.-c., pour trois nuits, peut-être quatre.
2 Nous attendons beaucoup de personnes à la fin de la semaine ; l'hôtel affichera complet.
3 Nous n'avons plus de chambres libres donnant sur le jardin ; toutes celles qui restent donnent sur la rue.
4 J'ai pu loger les clients à l'*Hôtel Rivoli*, mais ils ont trouvé les prix élevés et ils n'ont pas voulu y rester.
5 Les clients sont montés dans leur chambre avant le dîner ; il faut vite leur porter leurs bagages.
6 Il a été très difficile d'indiquer le chemin du parking ; il y a trop de sens interdits ; les clients ont certainement eu beaucoup de difficultés à trouver.

b) Texte

un succès croissant

La Chaîne Novotel, division du groupe Novotel, a été créée en 1967.

Elle connaît depuis un succès croissant et comptera fin 1980, 140 établissements dans 24 pays du monde, qui totaliseront ainsi 18.491 chambres.

Les Novotel sont conçus pour les affaires et le tourisme.

Leur conception répond à des normes internationales de confort et d'accueil, susceptibles de rendre agréables tous les séjours quelle que soit leur durée.

relax, vous êtes chez novotel...

dormir

Les chambres Novotel sont spacieuses, très confortables et agréablement décorées. Elles sont équipées d'une penderie, d'un bureau, du téléphone, de toilettes, et d'une salle de bains.

Pour le nombre de lits, consultez les symboles en regard des plans.

Pour les chambres comportant un lit double et un canapé lit :
— hébergement gratuit pour un ou deux enfants jusqu'à 12 ans, dormant dans la chambre des parents, sans adjonction de lit supplémentaire.

Un lit d'appoint peut être fourni moyennant un supplément.

Les Novotel accueillent aussi les animaux moyennant un supplément. Cependant par respect pour la clientèle, ils vous demandent d'avoir la gentillesse de bien vouloir les tenir en laisse au restaurant.

se restaurer

Les Novotel offrent la possibilité de se restaurer de 6 h à minuit.
La carte grill permet de composer en toute liberté, des repas simples et de qualité.
Les enfants ont un menu spécialement conçu pour eux.

Quelques Novotel ont un restaurant traditionnel : consultez les symboles en regard des plans.

Aux États-Unis, Hôtel de France Novotel propose un choix très large de formules restauration (voir page 68 USA).

Les petits déjeuners Novotel peuvent être servis au choix, soit dans la chambre, soit au grill.

Certains Novotel proposent au grill, une formule de "petit-déjeuner buffet".

se détendre

La plupart des Novotel mettent à la disposition de leur client :
— jardin, piscine et aires de jeux pour les enfants (consultez les symboles en regard des plans).

travailler - recevoir

Les salons Novotel sont modulables. Ils sont conçus pour accueillir aussi facilement des réunions de travail, des réunions familiales, des congrès que des cocktails.

partir en vacances

Novotel, c'est aussi les vacances avec neuf destinations privilégiées.

En France, de la mer à la montagne :
— Carnac, Chamonix, Oléron, Le Touquet, Val Thorens et Vichy.
Outre-Mer :
— A la Guadeloupe, à l'Ile de la Réunion,
— et bientôt à la Martinique.
Hors de France :
— le Brésil, l'Afrique de l'Ouest, la Tunisie, etc...

Guide Novotel 1980, Novotel S.I.E.H., Évry.

4 Traduisez en français

Procurez-vous le texte des services fournis par des hôtels de votre pays. Vous le traduisez pour des clients français.

Situation 3 : Renseigner sur la ville

Actes de communication courants

1 Se déplacer

Un client	Pour visiter les environs, je pense que le moyen le plus pratique est de louer une voiture ?
La réceptionnaire	Oui, Monsieur, sans aucun doute. Nous pouvons nous occuper de la location.
Le client	Et pour la ville ?
La réceptionnaire	Le plus simple est de prendre un taxi. Ils sont souvent assez vieux, mais ils ne sont pas chers.
Le client	On ne peut pas faire comme les gens du pays ?
La réceptionnaire	Si, Monsieur. Mais je vous conseille de prendre l'autobus. Les tramways ne sont pas très pratiques.

Quels sont les moyens de transport dans cette ville ? Quels sont ceux que conseille la réceptionnaire ? Dans quel ordre ? Les tramways dans cette ville sont-ils agréables ? désagréables ? Qu'est-ce qui est conseillé pour aller en dehors de la ville ?

Redites le dialogue : l'hôtel ne s'occupe pas de la location de voiture, mais on peut téléphoner ; les tramways sont préférables aux autobus ; les taxis sont rapides mais assez chers, etc.

2 Faire des achats

Une cliente	Où est-ce qu'on peut acheter quelque chose de joli ici ?
La réceptionnaire	Dans quel genre, Madame ?
La cliente	Je cherche un joli souvenir, ou même simplement des fleurs pour des amis qui nous ont reçus chez eux.
La réceptionnaire	Alors, allez ici, dans cette rue : il y a les plus beaux magasins et aussi des boutiques de bibelots et cadeaux amusants. Vous avez aussi le meilleur marchand de fleurs de la ville.
La cliente	Vous pouvez m'écrire le nom de la rue sur un morceau de papier ? Je le donnerai au chauffeur de taxi.

Que désire faire la cliente ? Pourquoi ? Que montre la réceptionnaire en disant : « Alors, allez ici, dans cette rue » ? Qu'est-ce que la cliente demande à la réceptionnaire de faire ? Pourquoi, à votre avis ?

La cliente désire acheter :
— des vêtements, des disques, un transistor, etc., pour ses enfants ou son mari,
— des cadeaux pour sa famille, des amis, etc.
— une fourrure, des chaussures pour elle, etc.

Utilisez le tableau ci-dessous pour redire le dialogue.

Éditions du Centre / Vichy.

Les gaffes de Léon, loueur de voitures

Exercices

Est-ce que
les tramways
dans cette ville sont
agréables?
désagréables?

Donner le contraire
d'un mot (3)

agréable → *désagréable*   *contracté* → *décontracté*

a) *Donnez le contraire des mots suivants :*

ordre ; espérer, placer, ranger, monter, faire.

b) *Complétez les phrases suivantes en utilisant les mots de a) et leur contraire.*

1 Dans le service, il faut beaucoup d'... ; je n'admets pas le ...
2 Le campeur est en train de ... la tente qu'il a ... hier en arrivant.
3 ... et ... c'est toujours travailler.
4 J'... qu'elle viendra ; mais il est 8 h et je commence à ...
5 Je ... bien mes affaires mais quelqu'un les ... toujours.
6 ... la machine à écrire dans ce coin et ne la ... plus.

Répondre avec Si (2)

Comparez : Le moyen le plus pratique est de louer une voiture ?
                                                          — Oui, Monsieur.
On ne peut pas faire comme les gens du pays ?
                                                          — Si, Monsieur.

Regardez :

1	chambre pour deux	avec un grand lit	avec des lits jumeaux
2	chambre avec salle de bains	avec douche	avec baignoire
3	chambre avec salle de bains	avec douche et w.-c.	avec douche seule
4	chambre donnant sur la mer	avec une fenêtre	avec un balcon
5	chambre	avec pension complète	avec demi-pension
6	chambre tranquille	avec vue sur la cour	avec vue sur le parc
7	chambre pour deux	à un grand lit	à deux lits

a) *Un client vous demande :* Vous avez une chambre pour deux ?
            et vous répondez : Oui, Monsieur, mais avec un grand lit,
                        pas avec des lits jumeaux.

b) *Un client vous demande :* Vous n'avez pas une chambre pour deux ?
            et vous répondez : Si, Monsieur, mais avec un grand lit, pas
                        avec des lits jumeaux.

c) *Mélangez les deux types de questions.*

Je le donnerai au
chauffeur de taxi.

Les pronoms
simples (1) :
Le/La/Les

Que dira la cliente s'il s'agit :

1 de pièces de monnaie ?	4 d'un billet de banque ?	7 d'indications ?
2 d'une adresse ?	5 de sa destination ?	8 du nom d'un magasin ?
3 de renseigne- ments ?	6 de son trajet ?	9 d'une carte de l'hôtel ?

Votre savoir-faire

● **Comment renseigner sur les jours et heures d'ouverture/de fermeture**

Le { musée magasin, etc.	est	ouvert(e)	le tous les chaque tous les jours sauf le	lundi(s), mardi(s), mercredi(s), jeudi(s), vendredi(s), samedi(s), dimanche(s).
La { boutique piscine, etc.		fermé(e)	de ... heures à ... heures.	

Dites quand sont ouverts/fermés les établissements publics/privés de votre ville.

● **Comment renseigner sur les magasins**

Il y a	un { bon petit magasin grand	de cuir, de chaussures, de fleurs, de vêtements, de bibelots, etc.	pas { cher chère	au centre (de la ville) dans la rue...
	une { bonne petite boutique	d'articles de produits { régionaux locaux folkloriques d'artisanat	bon marché de luxe	avenue... boulevard...

Choisissez quelques boutiques ou magasins dans votre ville. Vous êtes à la réception : un client (une cliente) veut faire des achats. Vous lui décrivez les magasins qui conviennent.

● **Comment renseigner sur la location d'une voiture**

TARIFS au 20 décembre 1979		**Marque et Modèle** *Make and Model*	**Places** *Seats*	**Par jour** *Per day*		**Par/per** *km*	**Semaine km ill.** *Weekly unlimited*
Petite Small	A	Renault 5 GTL Ford Fiesta L ou similaire	4	H.T. T.T.C	70,00 82,32	0,78 0,92	1.050,00 1.234,80
	B	Talbot Simca Horizon GL Opel Kadett 1200 S ou similaire	4	H.T. T.T.C.	75,00 88,20	0,94 1,11	1.260,00 1.481,76
Moyenne Medium	C	Peugeot 305 SR Audi 80 L ou similaire ♫	4/5	H.T. T.T.C.	89,50 105,25	1,10 1,29	1.680,00 1.975,68
Routière Premium	D	Peugeot 505 SR Renault 20 TS T.O. ou similaire ☼🧳♫	5	H.T. T.T.C.	120,00 141,12	1,45 1,71	2.100,00 2.469,60

Pour toutes réservations ou informations, consultez l'agence AVIS la plus proche ou votre agence de voyages

TO ☼ Toit ouvrant/*Sun roof* 🧳 Grand coffre/*Large trunk* ♫ Radio
H.T. Hors taxe/*Excluding tax* - T.T.C. Toutes Taxes Comprises/*Including Tax 17,6 %*
Durée minimum de location : 1 jour (24 heures). Heures supplémentaires : 1/5 du prix journalier

Avis France, Paris.

En utilisant ce tarif, expliquez à un client quelle voiture il peut avoir, avec quel confort et combien lui coûtera la location d'une voiture pour une excursion d'une journée, de deux (ou trois) jours dans votre région. Même exercice avec un tarif de votre pays.

Pour aller plus loin

1 Compréhension orale

a) *Les curiosités de la ville*

« Qu'est-ce qu'il y a à voir dans votre ville ?
— Ça dépend, Monsieur. Qu'est-ce qui vous intéresse plus spécialement ?
— Je ne sais pas... Les curiosités.
— Vous avez le château Saint-Georges, très bien conservé, et d'où vous avez un point de vue magnifique sur la ville.
— Bon, et après ?
— Aujourd'hui vous ne pouvez visiter aucun musée. Ils sont tous fermés le mardi, sauf le musée des voitures, mais il est ouvert seulement de 13 h à 18 h.
— Oh... les vieilles voitures, ce n'est pas passionnant. Il n'y a pas quelque chose de plus vivant ?
— Si, Monsieur. Vous avez la vieille ville, très pittoresque, et avec beaucoup de petites boutiques.
— Ça, c'est une idée. On peut y manger ?
— Oui, Monsieur. Il n'y a que des petits restaurants typiques, pas chers, mais sans luxe. Ils sont sur la colline tout autour du château. Alors vous pouvez tout faire en même temps : la vieille ville, le parc et le château. Cela vous prendra bien le reste de la journée, si vous voulez le faire sans vous presser. »

Le client peut-il visiter les musées ? Pourquoi ? Quel est celui qui est ouvert ? Quand ? Est-ce qu'il intéresse le client ? Que préfère-t-il ?
Qu'est-ce que le réceptionnaire conseille ?

b) *Les distractions de la ville*

« On peut s'amuser, le soir, dans votre ville ?
— Je crois que c'est possible. Vous avez un grand choix : les cinémas et théâtres ne vous tentent pas beaucoup, je pense, mais vous avez des restaurants avec spectacles, des cabarets, plutôt internationaux, mais aussi des petites boîtes typiques.
— Je ne vais jamais m'y retrouver tout seul. Vous ne voulez pas me servir de guide ? Ça me fera plaisir de dîner et passer la soirée avec vous. Une jolie fille comme vous, vous devez connaître tous les coins...
— Ce ne serait pas désagréable, en effet, mais vous savez, je vis chez mes parents. Je sors très peu et surtout chez des amis. Je ne connais ni les cabarets, ni les boîtes.
— Eh bien, découvrons-les ensemble.
— Je regrette, Monsieur, mais je finis mon service à l'hôtel tard, et toutes mes soirées sont prises. »

2 Expression orale

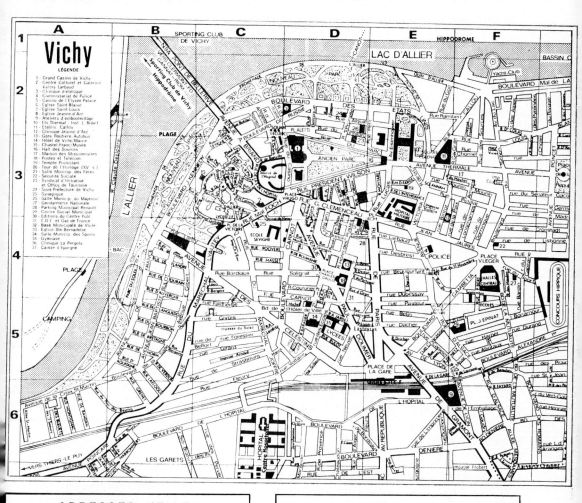

ADRESSES UTILES

USEFUL ADDRESSES / NÜTZLICHE ADRESSEN

Bureau de Renseignements de la Gare S.N.C.F. / Railway Station Information Bureau / Bahnhof Auskunft. - Tél. 98.47.19 (Plan-Map : 5.E).

Centre Culturel Valery Larbaud / Cultural Centre Valery Larbaud / Kulturzentrum Valery Larbaud, 15, rue Maréchal-Foch. - Tél. 32.15.33. (Plan-Map : 3.C).

Centre Hospitalier / Hospital / Krankenhaus, boulevard Denière. - Tél. 98.79.64 (Plan-Map : 6.D). - **Ambulances.** - Tél. : 98.12.12.

Commissariat de Police / Police Station / Polizeibüro, 35, avenue Victoria. - Tél. 98.60.03. - **Cas urgents / Emergencies / Unfalldienst.** - Tél. 17. (Plan-Map : 4.E).

Hôtel-des-Postes et Télécommunications / Post Office / Post-und Fernmeldewesen, place Charles-de-Gaulle. - Tél. 98.49.68. (Plan-Map : 4.D).

Hôtel-de-Ville - Mairie / Town Hall / Rathaus, place de l'Hôtel-de-Ville. - Tél. 98.92.36. (Plan-Map : 5.D).

Maison des Jeunes et de la Culture / Youth Cultural Club-House / Jugend-und Kulturhaus, Centre Omnisports. - Tél. 98.69.51. (Plan-Map : 1.F).

Sous-Préfecture / Sub-Prefecture / Kreis-Präfektur, 17, rue Alquié. - Tél. 98.72.75. (Plan-Map : 2.D).

Sporting Club de Vichy Secrétariat / Vichy Sporting Club Secretary's office / Sporting Club von Vichy Sekretariat, 1, avenue de la République, Bellerive-sur-Allier, B.P. 55, 03203 Vichy Cedex - Tél. 32.25.20.

Office du Tourisme / Vichy Touring Information Bureau / Verkehrsamt, 19, rue du Parc. - Tél. 98.71.94, ouvert du 2 mai au 30 septembre, du lundi au samedi de 9 h à 12 h et de 14 h à 19 h (juillet et août jusqu'à 20 h). - Les dimanches et jours fériés de 9 h à 12 h et de 14 h 30 à 18 h 30. - Du 1er octobre au 30 avril, du lundi au vendredi de 9 h à 12 h et de 14 h à 18 h 30 - Les samedis de 9 h à 12 h (Plan-Map : 3.D).

Palais du Lac - Palais des Congrès et des expositions / Palais du Lac - Conferences and Exhibition Hall / See Palast, Kongresse und Ausstellungen, Centre Omnisports Municipal. - Tél. 98.87.94. (Plan-Map : 1.H.I).

Yacht-Club de Vichy / Vichy Yacht Club / Jacht-Club von Vichy, Boulevard Maréchal-de-Lattre-de-Tassigny, Rotonde du Lac. - Tél. 98.73.55. (Plan-Map : 2.F).

1 Vous êtes réceptionnaire dans un hôtel de Vichy ; vous indiquez à un client comment aller : de la gare à la poste, du centre culturel à la sous-préfecture, etc.

2 Même exercice avec un plan de votre ville. Inventez les trajets.

Situation 4 : Renseigner sur la région

Actes de communication courants

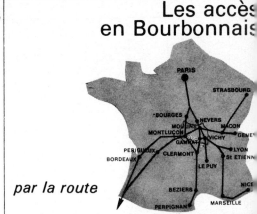

Les accès
en Bourbonnais

1 Arriver par la route

« Allô, allô ? Vous m'entendez ?
— Oui, Monsieur.
— Nous venons en voiture. En partant de
Paris, je prends l'autoroute du Sud ?
— Oui, Monsieur. Puis vous prenez la
nationale 7 jusqu'à Moulins. A Mou-
lins, vous avez deux routes pour Vichy.
Toutes les deux sont très bonnes.
— Il faut compter combien de temps ?
— Si vous respectez les limitations de
vitesse[1], il faut environ quatre heures
à quatre heures et demie. Il y a trois cent
quarante kilomètres. »

par la route

● « Route Bleue » : Paris - (RN 7) - **MOULINS** - St-Étienne
Marseille.
● « Route d'Auvergne » : Paris - (RN 7) - **MOULINS** (RN 9
GANNAT - Clermont-Ferrand - Béziers - Perpignan.
● « Route Médiane » : Paris (RN 7 et 140) - Bourges (RN 140
144) - **MONTLUÇON** (RN 143) - Clermont-Ferrand.
● « Route Centre Europe-Atlantique » Genève - Macon - **MO**
LINS - **MONTLUÇON** Bordeaux.

Comment se parlent les deux personnes ? Pourquoi le client dit-il la première phrase ?

Où le client va-t-il venir ? Quelle est la distance entre Paris et Vichy ? Combien faut-
il de temps pour faire le trajet en voiture ? Quel est le trajet de Paris à Vichy ?

Vous êtes réceptionnaire dans un hôtel de votre ville. Un client français vous téléphone
d'une autre ville de votre pays ; il vient en voiture. Vous le renseignez sur le trajet.

2 Partir par le train

« ... Et moi je te dis que le plus simple est
de passer par Paris. Demande à la récep-
tion.
— S'il vous plaît ?
— Oui, Monsieur.
— Pour aller à Strasbourg, il n'y a pas de
train ?
— Si, Monsieur. Mais il n'est pas pratique :
il part très tôt, il faut changer et il met
beaucoup de temps.
— Alors ?
— Je vous conseille de passer par Paris : de
Vichy à Paris vous avez des trains
rapides, à peine plus de trois heures.
— Ah ! Tu vois que ça simplifie !
— Oui, mais à Paris il faut changer de
gare. »

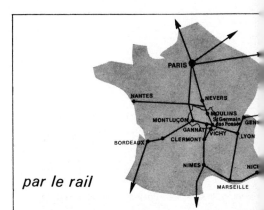

par le rail

De nombreux trains relient l'Allier aux principales métropo
françaises Turbotrains et trains « Corail » desservent les lign
● Paris (gares de Lyon et Austerlitz) - **MOULINS** - **VICH**
Clermont-Ferrand.
● Paris (gare d'Austerlitz) - **MONTLUÇON** -
● Lyon (Perrache) - **St-GERMAIN-DES-FOSSÉS** - **MOULIN**
Nantes.
● Bordeaux - **MONTLUÇON** - **GANNAT** - **St-GERMAIN-D**
FOSSÉS - Lyon.
Relations aisées avec toutes les autres grandes lignes, par **PA**
et **LYON**.

Où se passe la scène ? Où les clients veulent-ils aller ?

Pouvez-vous dire de quoi parlaient le client et la cliente ? Qu'est-ce que chacun
proposait ? Comment le client attire-t-il l'attention du garçon ?

1 130 km/h sur autoroute ; 90 km/h sur les routes ordinaires.

Comparez avec le dialogue 1 de la page 8. Que dit le réceptionnaire ?

Y a-t-il un train direct entre Vichy et Strasbourg ? Comment est-il ?

Que propose le réceptionnaire ? Combien faudra-t-il de temps pour aller en train à Paris ? Si on va à Strasbourg, que doit-on faire à Paris ?

Comment imaginez-vous les deux clients ?

3 Prendre l'avion

« Nous avons des amis qui vont venir nous voir et qui veulent prendre l'avion.
— D'où est-ce qu'ils arrivent ?
— De Genève.
— Alors ils ne peuvent pas atterrir à Vichy, mais à Clermont.
— Et là, ils peuvent louer une voiture ?
— Bien sûr, ils peuvent en louer une à l'aéroport. »

---

par avion

AÉROPORT de VICHY-CHARMEIL (7 km de VICHY)
En saison, liaisons aériennes directes avec PARIS (1 h de vol), NICE (1 h 30 de vol) et BIARRITZ avec correspondances toutes destinations. Renseignements : aéroport **VICHY-CHARMEIL** - Tél. (70) 32-34-67.
Office de Tourisme-Syndicat d'initiative - Tél. (70) 98-71-94. Télex 390 064 OF TOURISM VICHY.
Aviation d'Affaires : La Chambre de Commerce et d'industrie de **MOULINS-VICHY** a basé à **VICHY** un avion d'affaires (location possible auprès de la C.C.I. Moulins-Vichy. Tél. (70) 44-02-78 - Télex 390 770 CHAMCOM MOULIN).

AÉRODROME DE MONTLUÇON-DOMÉRAT
Aviation d'Affaires : Tél. (70) 29-06-11
AÉRODROME DE MOULINS-AVERMES
Tél. (70) 44-06-03. Avions d'affaires.

Dans le département voisin, le Puy de Dôme, l'aéroport de **CLERMONT-FERRAND** (90 km de **MONTLUÇON**, 95 km de **MOULINS**, 60 km de **VICHY**) est desservi en direct de **PARIS, LONDRES, LYON, TOULOUSE, BORDEAUX** (renseignements : Tél. (73) 91-71-00).

Comment vont faire les amis des clients pour arriver jusqu'à Vichy ?

Imaginez que les amis viennent d'une autre ville :
• ou bien ils pourront prendre l'avion et atterrir à Vichy ou à Clermont,
• ou bien ils devront prendre le train, ou venir en voiture.

Dites les dialogues.

4 Faire des excursions

Une cliente	Vous pouvez me dire ce qu'il y a à voir dans la région ?
Le réceptionnaire	Voici un dépliant, Madame. Vous verrez que les alentours sont très riches en possibilités.
La cliente	Bon, mais qu'est-ce que vous me conseillez ?
Le réceptionnaire	Vous verrez que le Syndicat d'Initiative vous propose quelques circuits. Certains sont plutôt orientés vers la nature, d'autres vers les monuments, d'autres vers des curiosités historiques.
La cliente	Oui... Et je vois qu'il y a les excursions correspondantes. C'est le Syndicat d'Initiative qui les organise ?
Le réceptionnaire	Non, Madame. C'est une agence de voyages. Nous prenons les inscriptions ici.

Que veut faire la cliente ? Qu'est-ce que le réceptionnaire lui donne ? Par qui est fait le dépliant ?

Que propose le Syndicat d'Initiative ? Vers quoi les circuits sont-ils orientés ? Qu'est-ce que chacun fait visiter, par exemple ?

Par qui les excursions sont-elles organisées ? Où la cliente peut-elle s'inscrire ?

Redites le dialogue. Remplacez « Syndicat d'Initiative » par le nom de l'organisme officiel de tourisme de votre ville, et pour l'agence de voyages, donnez le nom réel d'une agence de votre ville.

Exercices

Je te dis que le plus simple est de passer par Paris.

Ah ! Tu vois que ça simplifie !

simple → simplifier

La dérivation des mots (3) adjectif → verbe

Mettez les mots par paires.
Ex. : simplifier, c'est rendre simple.

1 agrandir 2 certifier 3 élargir 4 contenter 5 verdir 6 allonger 7 blanchir 8 grandir 9 bleuir 10 brunir 11 bonifier 12 jaunir 13 baisser 14 rougir 15 creuser 16 abêtir 17 blondir 18 raccourcir 19 clarifier 20 égaliser	c'est rendre (ou devenir)	a content b long c brun d bas e certain f blanc g court h égal i bon j rouge k grand l vert m blond n jaune o creux p clair q bête r bleu s large	

Je te dis...
Je vous conseille...

Les pronoms simples (2) :
Lui leur / Me te /
Vous nous

a) *On vous demande :* Vous avez vu M. Lebreton ?
   et vous répondez : Non, je le vois demain et voilà ce que je lui proposerai.
1 Vous avez vu le réceptionnaire ?
2 Vous avez vu la réceptionnaire ?
3 Vous avez vu les employés ?
4 Vous avez vu Mlle Chenut ?
5 Vous avez vu vos parents ?
6 Vous avez vu cette cliente ?

b) *On vous demande :* Vous pouvez nous voir maintenant ?
   et vous répondez : Non, je vous verrai demain et voilà ce que je vous proposerai.
1 Tu peux me voir maintenant ?
2 Vous pouvez les voir maintenant ?
3 Vous pouvez voir le chasseur maintenant ?
4 Ils peuvent te voir maintenant ?
5 Tu peux voir M. et Mme Leclère maintenant ?
6 Ils peuvent vous voir maintenant, tous ensemble ?

Et là, ils peuvent louer une voiture ?
— Bien sûr, ils peuvent en louer une à l'aéroport.

Je peux louer une voiture.
→ Je peux en louer une.

Le pronom En (1)

On vous demande : Est-ce que vous avez mis une cravate ?
et vous répondez : Non, mais je peux en mettre une.
1 Est-ce que vous avez pris un parasol ?
2 Est-ce que vous avez trouvé une serviette ?
3 Est-ce que vous avez apporté une chaise-longue ?
4 Est-ce que vous avez préparé un sandwich ?
5 Est-ce que vous avez appelé un taxi ?
6 Est-ce que vous avez envoyé une lettre d'invitation ?

Votre savoir-faire

● Comment proposer des circuits touristiques

Voici quatre des circuits touristiques proposés par le Syndicat d'Initiative de Vichy.

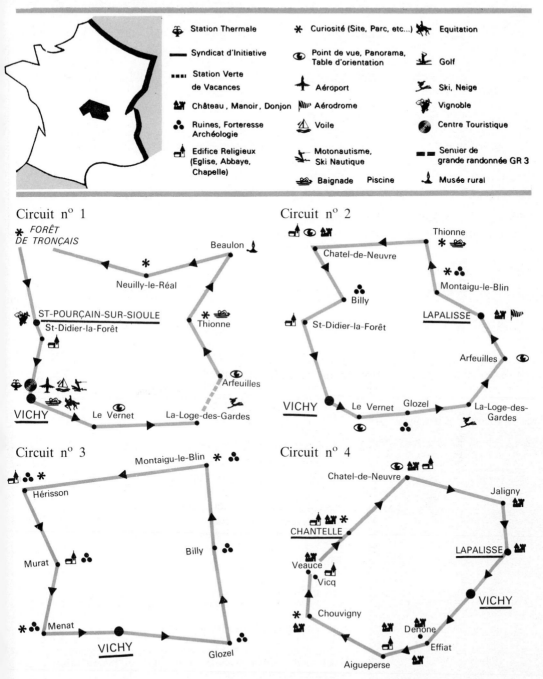

1 Vous décrivez les quatre circuits à la cliente de l'hôtel cn indiquant ce que chacun permet de visiter.

2 Même exercice à partir de circuits que vous établissez (ou que vous vous procurez) dans votre propre région.

Pour aller plus loin

1 Compréhension orale

Un client veut visiter la région

« Vous pouvez me renseigner sur ce que je peux faire pendant ces deux jours dans la région ?
— Vous n'avez rien prévu du tout ?
— Non, je ne pensais rester qu'un seul jour, et puis je suis obligé d'attendre ici deux jours, finalement.
— Avez-vous une voiture ?
— Non, mais je peux en louer une.
— Qu'est-ce qui vous attire plus particulièrement : la campagne ? la forêt ? ou les montagnes ? les lacs ? Aimez-vous les châteaux ou les vieilles églises ? Pour tout cela, nous n'avons que l'embarras du choix ici.
— On ne peut pas simplifier et voir tout ça en un seul circuit ?
— Si, c'est possible. Voilà ce que je vous propose. »

 Pourquoi le client n'a-t-il rien prévu pour ces deux jours ? Quelles sont les possibilités de tourisme dans la région ? Que demande le client ?

2 Expression orale

Continuez le dialogue ci-dessus, à partir du circuit n° 4, p. 35.

3 Traduisez dans votre langue

UN GITE RURAL
DE L'ALLIER

(Cliché MARTINEZ - O.B.T.T.)

LE BOURBONNAIS, terre d'accueil
vous offre :
Pour votre hébergement
- 650 hôtels dont 300 homologués ''Tourisme''
- 55 terrains de camping - 1200 meublés saisonniers.
- 250 Gîtes Ruraux - 50 Logis de France et Auberges de Vacances.
- 3 Gîtes Camping-Caravaning à la ferme.
- 2 auberges de jeunesse.
- 1 gîte d'étape canoë-kayak, pédestre et équestre.

Pour vos loisirs

- Stations Vertes de vacances
- 450 Kms de sentiers balisés de randonnées pédestres
- et équestres
- Hippodromes (**Vichy,** Moulins, Montluçon)
- Centres équestres - Centres de ski de descente et de fond
- Courts de tennis - Piscines et baignades aménagées.
- Aéroclubs - Plans d'eau pour la voile et le motonautisme.
- Bases de canoë-kayak - Golfs et minigolfs
- Réserves zoologiques ou botaniques - Musées et collections.
- Nombreux groupes de traditions et recherches folkloriques et archéologiques - Manifestations de qualité etc...

4 Compréhension écrite

Château de Fourchaud.   Clichés Karquel - Aulnay-sous-Bois.

Vichy : Lac d'Allier.

Vallée de la Sioule : Viaduc Eittel.   Cliché Parant - Montluçon.

L'ALLIER... TERRE ACCUEILLANTE

Un peu partout, sur cette terre bourbonnaise, le charme des paysages ravit l'esprit : poésie de la forêt séculaire de Tronçais, aux innombrables et calmes étangs, douceur champêtre des tendres vallées de l'Aumance et de la Sioule, austérité du relief de la Montagne Bourbonnaise, qui dissimule tant de lieux secrets et purs dans ses forêts de l'Assise et des Bois Noirs. A ces attraits s'ajoute sa richesse thermale avec BOURBON-L'ARCHAMBAULT, NERIS-LES-BAINS et VICHY, « la Reine des Villes d'Eaux ». Enfin, MOULINS, capitale administrative, et MONTLUÇON, ville ancienne devenue puissante capitale industrielle, complètent heureusement le panorama du département de l'ALLIER, dans lequel les agréments de la civilisation et de la nature se trouvent si intimement liés.

Ainsi les agréments de la civilisation urbaine, réunis dans ces trois ''villes moyennes'' se fondent harmonieusement avec ceux de la nature qui, tout autour omniprésente, fait de l'Allier un département type du Tourisme Vert.

Situation 5 : A la réception, il faut tout savoir.

Actes de communication courants

1 Changer de l'argent

Un client	Vous pouvez me changer des francs ?
Le réceptionnaire	Mais oui, Monsieur. Français ? Belges ? Suisses ?
Le client	Suisses. Voilà. *Bruit de papier froissé et de métal qui tinte.*
Le réceptionnaire	Je suis désolé, Monsieur, mais nous ne prenons que les billets, pas les pièces.
Le client	Tant pis. Tenez. Le cours est à combien aujourd'hui ?
Le réceptionnaire	Alors voyons, deux cents francs... Je vous dis tout de suite combien ça fait.

Que vient faire le client à la réception ? Que lui fait préciser le réceptionnaire ? Que fait le client en disant « Voilà » ? Que donne-t-il d'abord au réceptionnaire ? Que refuse le réceptionnaire ? Que fait le client quand il dit « Tenez » ? Combien d'argent donne-t-il ? Que demande-t-il ?

Procurez-vous le cours du change des francs français, belges, suisses, dans votre pays. Redites le dialogue ; faites varier la nature du franc et le montant de la somme. Terminez le dialogue par : « Voilà. Le cours est à..., ça fait... »

2 Donner des horaires de train

Une cliente	Vous avez les horaires des trains Paris-Strasbourg ?
Le réceptionnaire	Oui, Madame. Mais nous n'avons que les principaux trains.
La cliente	Je peux quitter Paris en milieu de journée ?
Le réceptionnaire	Vous avez un T.E.E.[1] qui part de Paris-Est à 11 h, arrivée à Strasbourg à 14 h 52. Le train suivant est un train ordinaire, départ de Paris-Est à 13 h 18, arrivée à Strasbourg à 17 h 48.
La cliente	Et à midi, il n'y a rien ?
Le réceptionnaire	Non, Madame. Rien entre 11 h et 13 h 18.

La cliente veut aller de quelle ville à quelle ville ? Comment ? A quel moment ? Combien de trains l'employé indique-t-il ? A quelle heure le premier part-il ? A quelle heure arrive-t-il ? Combien de temps dure le trajet ? A quelle heure part et arrive le train ordinaire ? Combien de temps dure le trajet ?

Redites le dialogue. Faites varier les heures de départ et d'arrivée. (Attention ! La durée des trajets doit rester la même !)

---

1 T.E.E. : Trans Europ Express (train très rapide, avec billet à supplément).

3 S'occuper des réservations

Un client	Vous n'avez plus d'horaires d'avion, pour les départs sur Paris ?
La réceptionnaire	Non, Monsieur, je n'en ai plus. Ils ont changé et je n'ai pas encore les nouveaux.
Le client	Vous ne pouvez pas téléphoner pour voir ce qu'il y a jeudi prochain ?
La réceptionnaire	Si, Monsieur, bien sûr. Je téléphonerai dès que possible.
Le client	Vous me réserverez deux places sur un avion en début d'après-midi, s'il vous plaît.
La réceptionnaire	Je crois qu'il y a un avion vers 14 h 15. Pouvez-vous me confier vos billets, je vous prie ? Merci, Monsieur. Je m'occupe de tout ça.

4 Prendre un message téléphonique

La réceptionnaire	*Hôtel Regency,* j'écoute.
M. Tunet	Monsieur Vanier, s'il vous plaît.
La réceptionnaire	Ne quittez pas, je vous prie... ... La chambre de Monsieur Vanier ne répond pas, Monsieur.
M. Tunet	Vous pouvez lui transmettre un message ?
La réceptionnaire	Bien sûr, Monsieur.
M. Tunet	Dites-lui que Monsieur Tunet a téléphoné.
La réceptionnaire	Un instant, s'il vous plaît. Je prends note... Monsieur Dumet...
M. Tunet	Non. TUNET. T comme Thérèse, et N comme Nicolas.
La réceptionnaire	Excusez-moi. Monsieur Tunet. C'est noté.
M. Tunet	Dites-lui de m'appeler avant six heures.
La réceptionnaire	J'entends très mal, Monsieur. Pouvez-vous répéter ? Vous avez dit six heures ou dix heures ?
M. Tunet	6, deux fois trois.
La réceptionnaire	Très bien, Monsieur. Je transmettrai à Monsieur Vanier.

Les gaffes de Léon, agent de voyages

Exercices

Est-ce que je peux
vous demander
de repasser
dans un moment?

Pouvez-vous
me confier vos billets,
je vous prie?

L'interrogation
directe (4)

Demandez à un client (une cliente) :

1 de vous confier son passeport,
2 d'attendre un moment,
3 d'ouvrir la boîte pour faire l'inventaire,

4 de signer le reçu de dépôt au coffre,
5 de vous préciser la durée de son séjour.
6 de passer tout de suite au restaurant, etc.

Vous pouvez
me changer
des francs?
— Mais oui,
Monsieur.

Et à midi,
il n'y a rien?
— Non, Monsieur...

Vous ne pouvez pas
téléphoner?
— Si, Monsieur,
bien sûr.

Répondre avec Si (3)

a) *Reprenez les questions de l'exercice ci-dessus.*

b) *Répondez par « oui », puis par « non » en ajoutant une précision.*
Ex. : Est-ce que je peux vous demander de repasser dans un moment ?
→ Oui, mais pas avant midi. / Non, je ne reviens pas avant ce soir.

c) *Posez la question de façon à avoir une réponse avec « si ». Répondez en ajoutant une précision.*
Ex. : Est-ce que je ne peux pas vous demander... ?
Ne pouvez-vous pas... ?

d) *Mélangez les types de questions et de réponses.*

Vous n'avez plus
d'horaires pour les
départs sur Paris?
— Non, Monsieur,
je n'en ai plus.

Le pronom En (2)

Reprenez l'exercice En de la page 34.

a) *Faites-le à nouveau.*

b) *Mettez les noms au pluriel.*
Ex. : Est-ce que vous avez loué des voitures ?   Je peux louer <u>des voitures.</u>
→ Non, mais je peux en louer.   Je peux en louer.

c) *Mettez les mots tantôt au singulier, tantôt au pluriel.*

Et à midi,
il n'y a rien?
— Non, rien
entre 11 h et 13 h 18.

Ne... rien
Ne... personne
Ne... jamais

Les diverses formes
de négation (1)

1ᵉʳ élève : Ils viennent le lundi et le jeudi.
2ᵉ élève : Et le mardi (*ou :* le mercredi), ils ne viennent jamais ?
1ᵉʳ élève : Non, jamais le mardi (*ou :* le mercredi) (*ou :* entre le lundi et le jeudi).

1 Vous avez un train à 14 h 15 et un autre à 17 h 30.
2 Pierre est d'abord venu le matin, puis Janine le soir.
3 Elles réservent trois jours à Pâques et une semaine début août.
4 Il est arrivé un client à 9 h et un autre à 11 h.
5 Il y a une excursion le dimanche et une le mercredi.
6 Je fume l'après-midi et le soir, c'est tout.

Votre savoir-faire

● Comment épeler au téléphone

Voici les conseils donnés par les Postes et Télécommunications (P.T.T.) françaises :

Pour bien se comprendre, afin d'éviter les confusions de numéros d'appel ou de noms, les chiffres s'énoncent :

Un	*un tout seul*	*Dix*	*deux fois cinq*
Six	*deux fois trois*	*Treize*	*six et sept*
Sept	*quatre et trois*	*Seize*	*deux fois huit*
Huit	*deux fois quatre*	*Vingt*	*deux fois dix*
Neuf	*cinq et quatre*		

les noms s'épellent :

A ... Anatole	*G ... Gaston*	*N ... Nicolas*	*U ... Ursule*
B ... Berthe	*H ... Henri*	*O ... Oscar*	*V ... Victor*
C ... Célestin	*I ... Irma*	*P ... Pierre*	*W ... William*
D ... Désiré	*J ... Joseph*	*Q ... Quintal*	*X ... Xavier*
E ... Eugène	*K ... Kléber*	*R ... Raoul*	*Y ... Yvonne*
É ... Émile	*L ... Louis*	*S ... Suzanne*	*Z ... Zoé*
F ... François	*M ... Marcel*	*T ... Thérèse*	

Épelez votre nom et· votre prénom, en utilisant le code ci-dessus.
Énoncez les chiffres suivants : 66, 70, 113, 216, 35, 37, etc.

● Comment indiquer les horaires

1 Un client francophone veut aller de Paris à Nevers, à Vichy, à Nîmes, à St-Étienne, à Grenoble. Vous avez l'horaire ci-dessous ; vous lui indiquez les diverses possibilités.

2 Même exercice avec des horaires de chemin de fer de votre pays.

Pour aller plus loin

1 Expression orale

Vos clients français rentrent chez eux.

• Vous êtes réceptionnaire dans un hôtel à Bagdad (Boston, Brasilia, Lagos, Rome). Un de vos clients français vous demande de lui indiquer les vols pour rentrer sur Paris. Vous le renseignez, aussi complètement que possible, à l'aide des horaires ci-dessous.

AIR FRANCE

Horaire de poche A DESTINATION DE **PARIS**

Codes Appareils

En italique : totalité des sièges en classe économique (Ex. *CVL. 707*).

* Jet
● Non pressurisé.

AB3 Airbus A300B*	DAM Mercure*	IL8 Ilyushin 18	TU5 Tupolev 154*
AN1 Antonov 12	DC8 DC-8*	LOE Electra	VCV Viscount
B11 BAC 111*	DC9 DC-9*	L10 Tristar*	VCX VC-10*
B72 Boeing 720*	DHT Twin Otter●	ND2 Nord 262	VF6 Fokker 614
BET Beechcraft 99●	FJF Fokker 28*	NDC Corvette*	707 Boeing 707*
CRV Caravelle*	FKF Fokker 27	SSC Concorde*	727 Boeing 727*
D10 DC-10*	HPH Handley Page Herald	TRD Trident*	737 Boeing 737*
DAF Mystère 20*	IL6 Ilyushin 62*	TU3 Tupolev 134*	747 Boeing 747*

Vols cargo : Aucun passager ne peut être embarqué sur ces vols.

VILLES DESSERVIES		DESTINATION PARIS Toutes heures locales			B : Le Bourget, S : Orly-Sud,			G : Charles de Gaulle, W : Orly-Ouest.	
C : Prix du Car T : Taxe d'aéroport R : Réservation	Code Rapport UTC	JOURS	VALIDITÉ du au	DÉPART	REPAS	ARRIVÉE	Aéroport	APPA- REILS	VOLS (sans escales : →)
BAGDAD Irak International. 18 km. **C** taxis. **T** 1 dinar. AF. c/o Levant Express Transp. Cubba Bldg. Saadoun st. Tél. 96-015/17. **R** 95.839.	BGW +3	Me Ve Di Sa Lu Ve Je		07 50 07 50 08 00 08 00 11 45	X X X	13 15 12 50 11 30 13 00 15 20	G G S S G	AB3 707 707 707 AB3	AF 145 AF 147 IA 225 → IA 235 AF 157 →
BOSTON Mass. USA Logan International. 5 km. **C** limousines. **T** —. AF. 607. Boylston Street. **R** (617) 482-4890.	BOS —5	Concorde Quot Quot ▲ Via New York.		09 50 14 00	R X	22 45 08 00▲	G aG	727/SSC 727/747	DL 540▲AF 002 AA 025▲AF 070
BRASILIA Brésil International. 15 km. **C** 10 cru. **T** 119 cruzeiros. AF. Hôtel Nacional. Lojas 39/40. Tél. 23-00-02. 23-41-52.	BSB —3	Concorde Me Di Lu Je Ve Sa		16 00 19 15 11 00 20 00 19 15	X X X X X	06 40▲ 15 30▲ 05 50▲ 15 50▲ 13 40▲	aG aG aG aG aG	727/SSC 737/747 727/747 737/747 737/747	SC 435▲AF 086 VP 283▲AF 092 VP 290♦AF 218 SC 413▲AF 098 VP 283▲AF 094
LAGOS Nigeria Murtala Mohamed. 25 km. **C** —. **T** 5 naira. UTA/AF. 1 Davies St. P.O.B. 201. Tél. 23-808/9.	LOS +1	Ma Sa Di		10 00 00 05 10 40	R T R	17 25 06 05 16 40	G G G	D10 D10 D10	UT 782 UT 756 → UT 788 →
ROME Italie Leonardo da Vinci. 36 km. **C** 1 500 lires. **T** —. AF. Via Veneto. 93. Tél. 475.8741. **R** 47-18.	ROM +1	Quot Quot Quot Quot Di Quot Qsf Di Di		08 00 11 10 14 30 14 50 16 15 18 50 20 30 21 00	T R R V T R R R	09 55 13 05 16 25 16 45 18 15 20 45 22 25 22 55	W G W G G W G G	727 727 DC9 727 DC8 DC9 727 727	AZ 334 → AF 633 → AZ 332 → AF 635 → RK 012 → AZ 320 → AF 637 → AF 637 →

Air France.

• Même exercice à partir des horaires réels de votre pays pour les vols vers Paris ou d'autres villes françaises.

2 Dictée

Vous recevez un message, en français, pour un client français. Votre client est absent. Vous prenez le message. Attention ! La personne vous dit ce que vous devez écrire. On répète chaque message deux fois. Vous y êtes ? Écrivez :

1	Monsieur BOSNIER (B comme Berthe, O comme Oscar, S comme Suzanne, N comme Noémi, I comme Irma, E comme Eugène, R comme Raoul) a téléphoné et rappellera à 16h (deux fois huit).
2	Madame KUNTZ (K comme Kléber, U comme Ursule, N comme Noémi, T comme Thérèse, Z comme Zoé) est obligée de partir ce même jour et reviendra le 6 (deux fois trois) du mois prochain.
3	La maison LEFEVRE (Louis, Eugène, François, Eugène, Victor, Raoul, Eugène) remet le rendez-vous à la semaine prochaine. Prendre contact aussitôt que possible.

N.B. Ce qui est entre parenthèses sert à préciser, mais n'a pas à être écrit.

3 Traduction

a) en français

Des entreprises de votre pays vous téléphonent des messages[1] pour des clients français, absents de l'hôtel et qui ne comprennent pas votre langue. Vous prenez ces messages dans votre langue et vous les traduisez en français.

b) dans votre langue

1 Les clients du 112 ont fait une belle excursion, aujourd'hui ; mais ils sont rentrés extrêmement fatigués.
2 Avant de venir, ils avaient réservé leur chambre. Toutefois, ils s'étaient trompés dans les dates : en fait, ils vont rester trois jours de plus que prévu.
3 Lorsqu'ils partiront, ils auront beaucoup profité de la plage sans pouvoir beaucoup se baigner.
4 Le soir, nous organisons des jeux de société qui sont animés par notre sous-directeur et ont un grand succès.
5 Les excursions ont toujours été très réussies quand elles étaient organisées et animées par notre service de réception.
6 Êtes-vous satisfaits de votre chambre ? Vous êtes-vous bien habitués à la vie de l'hôtel et à la ville ?

1 Dans chaque classe, le professeur ou un élève joue le rôle de ces entreprises et compose le texte des messages.

Chapitre 3 : Présenter la note et prendre congé

Situation 1 : « Nous sommes très contents, tout a été parfait. »

Actes de communication courants

1 Le client paie en espèces

Un client	Vous avez préparé notre note ?
Le réceptionnaire	Mais oui, Monsieur. Voici.
Le client	Voyons un peu... Heu... Bon. Tout est compris, donc, service et taxes ?
Le réceptionnaire	Tout est net, Monsieur... Merci, Monsieur... Alors, nous disons...
Le client	Ça va comme ça.
Le réceptionnaire	Je vous remercie pour le personnel, Monsieur.

 Que fait le client après avoir dit : « Voyons un peu » ; lorsqu'il dit : « Ça va comme ça... » ? Que fait le garçon lorsqu'il dit : « Voici » ; « Merci, Monsieur » ; « Alors, nous disons... » ?

HOTEL MAGENTA ★★★ NN

VILLA TZARINE

R. C. Cusset 66 B 10   AVENUE STUCKI · 03200 VICHY   Téléph. } 98-71-03 / 98-71-04

Monsieur BERNARDOT   **Chambre N°** 303

MOIS DE MAI 19 80	6	7	8	9				
ARRANGEMENT DE PENSION	2I0	2I0	2I0					
CHAMBRE			I50					
PETIT DÉJEUNER				I2				
DÉJEUNER			I20					
DINER		60						
SERVICE APPARTEMENT								
THÉ, CAFÉ, LAIT	4	4	8					
CAFÉ FILTRE								
INFUSIONS								
VINS }	40	80	60					
BIÈRES ET LIMONADE								
EAUX MINÉRALES	5	I0	5					
BAINS								
DIVERS								
TOTAL DU JOUR	259	364	553	I2				
A REPORTER		259	623	I I76				
TOTAUX		623	I I76	I I88				I I88.00
TAXE DE SÉJOUR								I.76
TAXE D'ÉTAT								
DÉBOURS blanch.								I2.00
TÉLÉPHONE								32.50
DIVERS }								
TOTAL GÉNÉRAL								I 234.26

LES NOTES DOIVENT ÊTRE PAYÉES CHAQUE SEMAINE

2 Le client ne paie pas en espèces

Un client	Vous acceptez la carte du *Diner's Club*?
Le réceptionnaire	Oui, Monsieur, le *Diner's,* l'*American Express* et la *Carte Bleue Internationale.* Merci, Monsieur...
	Un instant, je vous prie... Voilà... Est-ce que je peux vous demander de signer ici?
La cliente	Tu as vraiment une signature illisible!
Le client	Tenez... Voilà pour le personnel.
Le réceptionnaire	Je vous remercie pour lui, Monsieur. Au revoir, Madame, au revoir, Monsieur. Je vous souhaite une bonne route.

Que fait le client lorsqu'il dit : « Tenez... Voilà pour le personnel » ? Que fait le réceptionnaire lorsqu'il dit : « Merci, Monsieur... » ? ; que fait-il entre : « Un instant, je vous prie » et : « Voilà » ? Comment voyagent les clients?

Redites le dialogue; faites varier la carte du client; les clients voyagent en train, en avion.

3 Prendre congé de clients habituels

La réceptionnaire	Nous avons été très heureux de vous accueillir à nouveau cette année. J'espère que tout s'est passé comme vous le souhaitiez et que vous êtes contents de votre séjour.
Le client	Tout a été très bien, irréprochable, comme toujours. Au début, nous avons été un peu déçus de ne pas retrouver notre chambre habituelle...
La réceptionnaire	Nous l'avons beaucoup regretté, nous aussi, mais vous n'avez confirmé votre venue que très tard. Vous avez joué de malchance.
Le client	Je sais. Ça nous servira de leçon pour l'année prochaine. Et puis, celle que vous nous avez donnée était aussi agréable.
La réceptionnaire	J'en suis heureuse. Eh bien, je vous souhaite un bon retour. Passez un bon hiver et nous aurons un grand plaisir à vous revoir l'année prochaine.

Les clients sont-ils des habitués? Reviendront-ils l'année prochaine? Justifiez votre réponse. Comment la réceptionnaire demande-t-elle si tout s'est bien passé? Que s'est-il passé à l'arrivée des clients? Pourquoi les clients n'ont-ils pas eu leur chambre habituelle? Sont-ils contents ou mécontents de leur séjour? Justifiez votre réponse. Comment la réceptionnaire leur dit-elle au revoir?

Mémorisez bien ce dialogue qui vous servira pour les exercices sur VOTRE SAVOIR-FAIRE.

Exercices

Regardez :

a) reprocher → irréprochable
Formez de la même façon les adjectifs correspondant à : remplacer,
recevoir, réparer, respirer.
Faites des phrases avec ces adjectifs :
Ex. : On fume trop ici. → L'atmosphère est irrespirable.

b) régulier → irrégulier
Faites des phrases en employant le contraire de : réaliste, respectueux,
réel, responsable.
Même exercice à partir de :
lisible → illisible : légal, limité, logique
adroit → maladroit : honnête, propre, sain, heureux, habile.

a) *On vous demande :* Vous avez vu M. Lebreton ?
   et vous répondez : Oui, je l'ai vu hier et voilà ce que je lui ai
                        proposé.
Reprenez les phrases de l'exercice 2, p. 34.

b) *On vous demande :* Vous pouvez nous voir maintenant ?
   et vous répondez : Non, je vous ai déjà vus hier et je n'ai rien
                        d'autre à vous proposer.
Reprenez les phrases de l'exercice 3, p. 34.

Vous demandez au client : Partez-vous ce matin ? (soir)
   Le client vous répond : Non, je ne pars que ce soir.
1 Prenez-vous la pension complète ? (demi-pension)
2 Restez-vous jusqu'à jeudi ? (mardi)
3 Avez-vous beaucoup de bagages ? (une seule valise)
4 Désirez-vous faire des excursions ? (me reposer)
5 Prendrez-vous le train de 11 h 32 ? (celui de 14 h 08)
6 Voulez-vous une chambre avec bain ? (avec cabinet de toilette).

| La chambre | qui | ces clients ont refusée
nous a été donnée
la réception nous a donnée
nous avions d'abord refusée
est au-dessus de la vôtre | était
finalement
très agréable. |
| | que | donne sur { le { parc
{ jardin
{ la mer | n'est
pas du tout
calme.
etc. |

Faites autant de phrases que possible.

Votre savoir-faire

● Comment dire au revoir à des clients

Au revoir,	Madame, Monsieur,	je vous souhaite	bonne route. un bon vol. un bon voyage. un bon retour.

Si ce sont des clients habituels, vous pouvez ajouter :

— Nous vous souhaitons de passer un bon ⎰ hiver.
⎱ été.

— Nous ⎰ espérons / serons heureux de / aurons plaisir à ⎱ vous ⎰ revoir / accueillir ⎱ l'année prochaine. / bientôt.

Des clients quittent l'hôtel. Que direz-vous :

s'il y a :

s'ils voyagent : 1 en auto,   2 en avion,   3 en train,

si ce sont :   *a*) des clients de passage,   *b*) des clients habitués.

● Comment marquer son plaisir

+ *fort* ↑		
	serons très heureux de aurons grand plaisir à	
Nous	serons heureux de aurons plaisir à	vous accueillir l'année prochaine.
− *fort*	espérons	

Des clients quittent votre hôtel. Que direz-vous s'il s'agit :
de personnes qui ont été vraiment très désagréables et que vous ne voulez plus ;
de personnes avec deux enfants qui ont fait un peu de bruit dans l'hôtel ;
de clients qui n'ont pas fait parler d'eux ;
d'un couple charmant et très agréable ; etc.

● Comment s'excuser quand tout n'a pas été comme le client le souhaitait

Reprenez le dialogue 5. Un léger ennui, peu grave, a marqué le séjour du client ; il est tout à fait explicable.

Imaginez le dialogue si :

a) il n'y a pas eu d'eau chaude pendant deux jours parce que la chaudière était en panne ;

b) l'ascenseur n'a pas marché un jour parce qu'il y a eu des coupures de courant ;

c) les petits déjeuners ont été quelquefois servis en retard parce qu'une partie du personnel était malade ;

d) on a donné une chambre avec douche (et non avec bain) parce qu'il y a des travaux dans certaines chambres ;

e) la chambre donnait sur la cour (et non sur le parc) parce que la réservation avait été faite trop tard, etc.

Pour aller plus loin

1 Compréhension écrite

Lisez et expliquez le texte suivant :

Personnel du hall
(voiturier - bagagiste - groom - chasseur)

Finalité de l'emploi

Le personnel du hall assure, sous le contrôle du **concierge,** l'accueil du client : à sa descente de voiture, pour lui porter ses bagages, pendant son séjour, pour les courses à l'intérieur ou à l'extérieur de l'hôtel.

Nature du travail

● **Le voiturier** est l'un des premiers employés de l'hôtel à entrer en contact avec le client : en faction devant l'hôtel, il surveille chaque mouvement de voitures et y participe. Il aide parfois le client à garer sa voiture, il l'aide à en descendre et propose ses services pour porter les paquets. Il peut être amené à renseigner brièvement le client sur l'hôtel, le restaurant, ou les autres services de l'établissement et leur emplacement. Il exerce une surveillance constante sur le « bateau » ou la place réservée devant l'hôtel.

● **Le bagagiste** se tient dans le hall à l'arrivée du client. Il prend en charge les bagages. Puis il accompagne le client au bureau de réception, attend la désignation de la chambre et prend la clé à la conciergerie.
Il accompagne ensuite le client à l'appartement et lui explique d'une part les facilités offertes par l'hôtel : boutiques, bar, restaurant, services, en les situant rapidement, d'autre part, dans l'appartement, l'utilisation des différents appareils et accessoires : bar individuel, télévision... Il lui désigne les personnes responsables du service de l'étage.
(Dans le cas d'arrivées de groupes, il se contente de déposer les valises à la consigne de l'hôtel. Il enregistre les arrivées avec le détail des bagages.)
Pour les départs, le bagagiste inscrit sur le planning le numéro de la chambre qui va être libérée. Il monte chercher les bagages, les descend, soit dans le hall, soit à la consigne et dépose la clé de la chambre à la réception. Il annonce au **concierge** le départ du client. Enfin, il raye le numéro de la chambre sur le planning quand le client est réellement parti.

● **Le groom** est chargé de toutes les courses pour les clients dans l'hôtel : achat de cigarettes, de journaux, remise du courrier recommandé, promenade des chiens... Quand il n'y a pas de courses à faire, il est en faction dans le hall, dont il vérifie la propreté et le bon ordre. Il dirige les clients vers la conciergerie lorsqu'ils ont besoin de renseignements. Il doit les aider si l'occasion se présente : les décharger de paquets encombrants, les aider à passer leur manteau...

● **Le chasseur** est chargé des courses et démarches à l'extérieur de l'hôtel : achats, courrier à expédier, démarches bancaires, réservations de places d'avion, de train, de théâtre... Il doit faire en sorte, par tous les moyens, d'obtenir ce qui a été demandé. Il voit le client pour l'informer du résultat de ses démarches.

Réceptionnaire

Finalité de l'emploi

Dans l'hôtellerie moderne, le réceptionnaire est chargé d'accueillir le client à son arrivée et de lui « vendre » une chambre. Il informe également les services de l'hôtel de l'arrivée du client, afin de permettre une bonne coordination du travail dans l'entreprise, et l'organisation du séjour du client.

Nature du travail

Dans un grand hôtel où la gestion des chambres est effectuée par un ordinateur, le réceptionnaire accueille le client et lui fournit tous les renseignements nécessaires sur les conditions de séjour, les prix et les possibilités d'accueil de l'hôtel, il fait remplir une fiche de palier au client, et fait établir pour le service informatique la carte de crédit intérieure et le numéro du compte client correspondant : il ressort au client sa carte de crédit, un plan de l'hôtel et de numéro de la chambre.
Quand le client ou le groupe a réservé, les formalités sont plus rapides.
Dans le cas des hôtels dont la réception est importante, mais moins automatisée, le réceptionnaire a un travail supplémentaire de mise à jour des fichiers arrivées et départs, de préparation des facturations. Il s'occupe, si nécessaire, des changements de chambres, il remplit des fiches d'information pour les autres services : conciergerie, standard... et fait, tous les soirs, un rapport du travail effectué dans la journée.
Dans un établissement hôtelier de petite et moyenne importance, outre la fonction d'accueil de la clientèle et d'organisation de son séjour, le réceptionnaire met à jour le planning de réservation des chambres, assure la tenue de la main courante, les opérations de caisse, la permanence du standard téléphonique et le courrier de réservation.

Conditions de travail
et qualités nécessaires

Le réceptionnaire travaille le plus souvent debout, au comptoir de réception (ou banque), dans le hall de l'hôtel. Il est en contact permanent avec la clientèle. Il travaille souvent en équipe par roulement. L'horaire de nuit est généralement tenu par une équipe masculine.
Il doit généralement porter un uniforme fourni et entretenu par l'employeur : une bonne présentation est indispensable.
Le titulaire de ce poste doit être résistant physiquement et nerveusement en raison des variations d'horaires de travail, de la position debout, de l'intensité du travail aux moments d'affluence. Il doit toujours être disponible et aimable avec le client et faire preuve d'égalité d'humeur, de diplomatie, de psychologie et de discrétion. Un certain sens commercial et une bonne organisation du travail sont nécessaires.

2 Expression orale

Schéma d'organisation d'un service d'accueil

Hôtel 1 ou 2 étoiles

	Réception
SERVICE RESPONSABLE	
PERSONNEL D'EXÉCUTION	Réceptionnaire Main-courantier Garçon de hall Veilleur de nuit

Hôtel 3 étoiles

	Réception	Hall
SERVICE RESPONSABLE	Chef de réception	Concierge
PERSONNEL D'EXÉCUTION	Réceptionnaires	Concierge de nuit Chasseurs

Hôtel 4 étoiles

	Réception	Hall	Standard
SERVICE	Réception	Hall	Standard
RESPONSABLE	Chef de réception	Chef concierge	Chef de standard
PERSONNEL D'EXÉCUTION	Sous-chef de réception Réceptionnaires	2e concierge Aide-concierge Concierge de nuit Chasseurs Grooms Bagagistes Liftiers	Standardistes de jour et de nuit

Ph. Mazzetti et M.-L. Francillon, *Technologie Hôtelière*, J. Lanore.

Décrivez, pour chaque catégorie d'hôtels, le travail de chaque personne, en vous aidant du texte de la page 48.

Situation 2 : « Nous avons été très bien, mais... »

Actes de communication courants

1 Le client se plaint avec raison

Le réceptionnaire	... Eh bien, il ne me reste plus qu'à vous souhaiter un bon voyage. J'espère que vous avez été bien et que vous emportez un bon souvenir de votre séjour.
Le client	L'hôtel a été parfait, comme toujours. Mais franchement, cette année, le restaurant, et surtout la cuisine, c'est plus que mauvais, un vrai désastre.
Le réceptionnaire	Je sais, et croyez bien que nous en sommes désolés.
La cliente	Qu'est-ce qui se passe ?
Le réceptionnaire	Nous avons engagé un chef français, qui a une bonne réputation et qui fait, d'habitude, de l'excellente cuisine. Malheureusement, cette année, il a de gros ennuis personnels, et son travail n'est plus du tout satisfaisant. Mais soyez tranquilles, ça ne se reproduira plus.
Le client	C'est le souhait que je forme. Vous savez, c'est la réputation de votre hôtel qui est en jeu.

Est-ce le début ? le milieu ? la fin d'une conversation ? Qu'est-ce que les clients ont fait avant ? Que doit encore faire le réceptionnaire ? Les clients sont-ils des clients de passage ? Justifiez votre réponse. Comment le réceptionnaire demande-t-il aux clients s'ils ont été contents ? De quoi les clients sont-ils contents ? mécontents ? Comment le disent-ils ? Pourquoi l'hôtel a-t-il engagé le chef français ? Que s'est-il passé cette année ? Restera-t-il dans la maison ?

2 Le client croit trouver une erreur, mais il se trompe

Le client	Vous pouvez recompter, s'il vous plaît ? Il y a une erreur d'addition.
Le réceptionnaire	C'est possible, Monsieur. Je vérifie tout de suite. *Bruit de machine à calculer.* Non. Je trouve le même total. Voulez-vous recompter vous-même ?
Le client	Pardon. *Bruit de murmure.* Vous avez raison. Le total est juste. Excusez-moi.
Le réceptionnaire	Ce n'est rien, Monsieur, ce sont des choses qui arrivent.
Le client	Vous avez une carte de la maison ?
Le réceptionnaire	Je n'en ai plus ici. Je vais en chercher une.
Le client	Apportez-en plusieurs.

A quel moment se passe la scène ? Que dit le client ? Que demande-t-il ? Que répond le réceptionnaire ? Dit-il tout de suite qu'il ne peut pas y avoir d'erreur ? Que fait-il ? Comment dit-il qu'il ne trouve pas d'erreur ? Que propose-t-il au client ? Que dit le réceptionnaire lorsque le client s'aperçoit que l'addition est exacte ? Que demande le client ? Que fait le réceptionnaire ? Pourquoi ?

3 La cliente croit trouver une erreur, et elle a raison

La cliente   Dites-moi, qu'est-ce que c'est que cette somme, ici, dans les divers ?

L'employée   Je vérifie tout de suite, Madame... Voilà. Il s'agit d'une note de bar, quatre apéritifs et une bière.

La cliente   Quatre apéritifs !? Une bière !? C'est insensé ! Je ne bois jamais une goutte d'alcool.

L'employée   N'avez-vous pas reçu des amis à qui vous avez offert l'apéritif ?

La cliente   Personne n'est venu me voir ici pendant tout mon séjour.

L'employée   Pouvez-vous attendre un moment, Madame ? Je vérifie au bar. Un instant, je vous prie... Je suis désolée, Madame, mais il y a effectivement une erreur. Le barman a mal écrit 85 et on a porté la note sur la chambre 83, la vôtre. Je corrige tout de suite.

 Où se passe la scène ? De quoi la dame s'étonne-t-elle ? A quoi correspond la somme ? Pourquoi la dame affirme-t-elle que c'est une erreur ? (Elle a deux raisons.) Que fait l'employée ? Que dit-elle pour s'excuser ? Quelle est la raison de l'erreur ? Comment imaginez-vous la dame ?

Redites le dialogue ; donnez d'autres chiffres (41, 47, etc.).

Les gaffes de Léon, chasseur

Exercices

*Il ne me reste plus
qu'à vous souhaiter
un bon voyage.*

*C'est le souhait
que je forme.*

La dérivation
des mots (4) :
nom → verbe

On vous dit : Ils ont formé beaucoup de souhaits.
et vous demandez : Qu'est-ce qu'ils avaient donc à souhaiter ?

1 Ils ont donné un coup de balai.
2 Ils ont passé des coups de téléphone.
3 Ils ont fait beaucoup d'achats.
4 Ils ont passé beaucoup de commandes.
5 Ils ont fait beaucoup d'essais.
6 Ils avaient beaucoup d'espoirs.

Apportez-en plusieurs.

Le pronom En
(3)

Apportez-en plusieurs, *c'est ce que dit le client.*
L'employé, lui, dira

soit : Pouvez-vous en apporter plusieurs ?
soit : Est-ce que je peux vous demander d'en apporter plusieurs ?

Dites les deux formes que vous emploierez pour :

1 Donnez-en une autre.
2 Parlez-en entre vous.
3 Achetez-en tout de suite.
4 Cherchez-en dès que vous pourrez.
5 Prenez-en deux autres.
6 Rapportez-en dès que possible.

---

*Vous n'avez pas
reçu des amis
à qui vous avez
offert l'apéritif ?*

Les pronoms relatifs
simples (2) : A qui

On vous dit : Vous donnez des renseignements à beaucoup trop de personnes.
et vous répondez : Mais je choisis les personnes à qui j'en donne.

1 Vous parlez de vos ennuis à beaucoup trop de gens.
2 Vous discutez de vos affaires avec beaucoup trop d'amis.
3 Vous envoyez des cartes à trop de clients.
4 Vous acceptez de l'argent de trop de personnes.
5 Vous prêtez de l'argent à trop d'amis.
6 Vous empruntez des outils à trop de voisins.

---

*Nous avons engagé
un chef français.*

Adjectifs des noms
de pays (1)

On vous demande : Vous venez de France ?
et vous répondez : Oui, je suis français.

1 Vous venez de Hollande ?
2 Ils viennent d'Angleterre ?
3 Elles viennent du Japon ?
4 Il vient du Portugal ?
5 Vous venez du Pakistan ?
6 Elles viennent de Pologne ?

Votre savoir-faire

● Comment compter en français

Vous présentez à un client l'une des notes ci-dessous. Il vous fait remarquer qu'il y a une erreur. Vous recomptez à haute voix devant lui. Vous corrigez l'erreur et vous vous excusez.

HOTEL MERCURY	Hôtel de la Plage	*Hôtel Royal* ♔
Monsieur Bertin chambre n° 107	M. et M° FERRÉ CHAMBRE N° 318	Madame Mercier chambre n° 74
2 nuits à 128ᶠ 256ᶠ 4 p. déj à 8ᶠ50 34ᶠ 2 téléphones 27ᶠ 1 Evian 4ᶠ 331ᶠ,00	3 NUITS A 144ᶠ 462ᶠ 5 P. DEJ A 9ᶠ 45ᶠ 4 TELEPHONES 18ᶠ 2 DINERS 72ᶠ 609,00	12 jours pension à 72ᶠ 874ᶠ Bar 38ᶠ Repas en sus 293ᶠ Vins 187ᶠ 1372,00

« Alors, deux nuits à 128 francs, ça fait... 2 fois 8, seize ; je pose 6 et je retiens 1 ; 2 fois 2, quatre et 1, cinq ; 2 fois 1, deux... 256 francs », etc.

● Comment répondre à des réserves exprimées sur le séjour

Relisez le dialogue 1.

a) Imaginez la conversation si le client se plaint parce que :

l'hôtelier explique que :

le client se plaint parce que :	l'hôtelier explique que :
1 les chambres sont toujours agréables mais ● le linge est insuffisant (2 petites serviettes, pas de serviettes de bain) ● il n'y a plus de produits d'accueil (savon, dentifrice, etc.).	le personnel est nouveau et n'a pas l'habitude, il fallait en parler plus tôt pendant le séjour.
2 on va au bar avec plaisir, le soir, mais il ferme à 10 h ; le quartier est désert ; la chambre un peu triste.	il est très difficile de trouver du personnel de nuit ; mais il y a un bar pas très loin. On pouvait donner l'adresse.
3 le personnel est gentil, mais il n'y a plus de chasseur, et donc personne ne peut aller faire des courses pour le client (journaux, etc.). On doit les faire soi-même. C'est très gênant.	le personnel est devenu très cher et il faut le réduire. Pour les journaux, on peut faire déposer à l'hôtel les journaux commandés la veille.

b) Comment imaginez-vous les clients qui se plaignent de 1 ? de 2 ? de 3 ? Dans quelle catégorie d'hôtels sommes-nous ?

c) Imaginez des situations semblables dans la même catégorie d'hôtels ou dans d'autres catégories.

Pour aller plus loin

1 Expression orale

Imaginez les divers dialogues possibles.

2 Dictée

Vous recevez un message, en français, pour un client français. Votre client est absent. Vous prenez le message. Attention! Le client vous dit ce que vous devez écrire. Chaque message est dit une seule fois. Vous y êtes? Écrivez:

3	Monsieur et Madame LASNIÈRE (Louis, Anatole, Suzanne, Nicole, Irma, Eugène, Raoul, Eugène) demandent à Monsieur VICO (Victor, Irma, Célestin, Quintal) de ne pas quitter l'hôtel avant leur arrivée.
2	Les enfants de M. et Mme ARTHAUD (Anatole, Raoul, Thérèse, Henri, Anatole, Ursule, Désiré) téléphonent pour dire qu'ils ne pourront pas rejoindre leurs parents comme prévu. Rendez-vous à la maison.
1	Message pour M. et Mme MENOT (Marcel, Eugène, Nicolas, Oscar, Thérèse): à leur arrivée à la gare d'Austerlitz (Anatole, Ursule, Suzanne, Thérèse, Eugène, Raoul, Louis, Irma, Thérèse, Zoé), ils devront prendre un taxi car personne ne peut aller les attendre à la gare.

3 Traduction

a) en français

Des entreprises de votre pays vous téléphonent des messages* pour des clients français, absents de l'hôtel et qui ne comprennent pas votre langue. Vous prenez ces messages dans votre langue et vous les traduisez en français.

b) dans votre langue

- 1 Si vous pouvez accepter de l'argent français, et si votre taux est raisonnable, je peux payer tout de suite. Sinon, je dois aller à la banque.
2 Si nous revenons l'année prochaine, nous aurons besoin d'une chambre de plus car nos enfants seront très certainement avec nous.
3 Et si nous réservions au mois d'avril, par exemple, est-ce que nous serions sûrs d'avoir une chambre donnant sur le parc?
4 Nous prendrons bien volontiers pension chez vous la prochaine fois, si nous sommes sûrs de trouver un autre chef, et donc une autre cuisine.
5 Enfin! Tout de même! Vous n'auriez pas fait cette erreur si vous aviez pris la précaution de bien lire le chiffre! 85 ce n'est pas 83! Et si vous aviez un doute, il fallait aller voir le barman.
6 Si vous pouvez garder nos valises jusqu'à ce soir, nous les reprendrons en allant à la gare.

- Lisez attentivement les textes de la page 48, puis traduisez-les.

* Dans chaque classe, le professeur ou un élève joue le rôle de ces entreprises et compose le texte des messages.

Touristix mène l'enquête (à suivre, p. 112)

Partie 2

Au restaurant

Chapitre 1 : L'accueil

Situation 1 : « Si vous voulez bien prendre place... »

Actes de communication courants

1 Accueillir une personne seule

Le maître d'hôtel	Bonjour, Monsieur. Une seule personne ?
Le client	Oui.
Le maître d'hôtel	Par ici, Monsieur, je vous prie... Pardon, Monsieur... Si vous voulez bien prendre place.

Le maître d'hôtel	Bonsoir, Madame. Un seul couvert ?
La cliente	Oui, une table tranquille, s'il vous plaît.
Le maître d'hôtel	Certainement, Madame. Celle-ci vous convient-elle ?
La cliente	Mais c'est une table pour deux personnes !
Le maître d'hôtel	Je vais enlever le deuxième couvert, Madame.

 A quel moment arrive le monsieur ? la dame ? Comment le maître d'hôtel demande-t-il si la personne est seule ? au monsieur ? à la dame ? Que peut faire le maître d'hôtel en disant : « Pardon, Monsieur » ? Que désire la dame ? Pourquoi s'inquiète-t-elle ? Que va faire le maître d'hôtel ?

2 Accueillir un couple

Le maître d'hôtel	Bonjour, Madame ; bonjour, Monsieur. Une table pour deux personnes ?
Le client	Oui, près de la baie, s'il vous plaît.
Le maître d'hôtel	Certainement, Monsieur. Voulez-vous celle-ci ?
Le client	Mm... Elle est trop près de la porte des cuisines. Celle-là, là-bas, est libre ?
Le maître d'hôtel	Je crois que oui, Monsieur. Si vous voulez bien me suivre...

 Comment le maître d'hôtel accueille-t-il les personnes ? Qui salue-t-il d'abord ? Qui répond au maître d'hôtel ? Pourquoi le couple veut-il une table près de la fenêtre, à votre avis ? Pourquoi le monsieur refuse-t-il celle que lui propose le maître d'hôtel ?

Redites le dialogue en changeant :
— ce que désire le client (une table loin de la porte, sans courant d'air, etc.)
— la raison du refus (près de la caisse, au milieu de la salle, etc.).

3 Accueillir un groupe

Le maître d'hôtel	Bonsoir, Mesdames. Bonsoir, Messieurs. Vous désirez dîner ?
Le client	S'il vous reste une bonne table, oui.
Le maître d'hôtel	Oh, Monsieur, la salle n'est pas encore pleine. Je vais voir ce que je peux vous proposer. Pour combien de personnes ?
Le client	Nous sommes sept.
Le maître d'hôtel	Voilà. Je peux vous donner cette table de huit couverts.
Le client	Elle est un peu au milieu de la salle. Vous n'avez rien d'autre ?
Le maître d'hôtel	Je regrette. C'est la seule grande table qui me reste.
Le client	Alors, on la prend.

 Quel est le moment de la journée ? Combien y a-t-il de personnes dans le groupe ? Un seul homme ? Une seule dame ? Qui parle dans le groupe ? Les clients ont-ils la table qu'ils souhaitent ?
Redites le dialogue ; faites varier *a)* le nombre de personnes, *b)* le début du dialogue, *c)* l'objection du client.

Le maître d'hôtel	Bonjour, Mesdames ; bonjour, Messieurs. Vous désirez déjeuner ?
Le client	Oui, quatre personnes.
Le maître d'hôtel	Vous n'avez pas réservé ?
Le client	Oui.
Le maître d'hôtel	Alors je regrette, mais nous sommes complets aujourd'hui.
Le client	Pardon ! Si, j'ai réservé. Au nom de LETELLIER.
Le maître d'hôtel	Monsieur Letellier. C'est parfait. Si vous voulez bien me suivre.

 Que demande le maître d'hôtel ? Que répond le client ? Que fallait-il répondre ?

4 Prendre une réservation par téléphone

L'employé	Allô ! *Le Relais de Briare.* J'écoute.
Mme Bertholet	Allô. Est-ce qu'on peut avoir une table pour aujourd'hui, s'il vous plaît ?
L'employé	Bien sûr, Madame. Pour déjeuner ou pour dîner ?
Mme Bertholet	Pour déjeuner, quatre personnes ; une table avec vue sur le parc.
L'employé	C'est noté, Madame. A quel nom, je vous prie ?
Mme Bertholet	BERTHOLET - B.E.R.T.H.O.L.E.T.
L'employé	Madame Bertholet. Quatre couverts pour midi. Une table bien placée. A tout à l'heure, Madame.

 A quel moment pensez-vous que Madame Bertholet téléphone ? A quel restaurant ? Quels sont les renseignements nécessaires pour la réservation ?
Redites le dialogue en faisant varier : — le nom du restaurant, — le nombre de personnes, — le nom de la personne qui appelle, — le repas pour lequel est faite la réservation, — l'emplacement souhaité pour la table.

Exercices

Complétez les phrases sur le modèle :
Vous n'avez pas pu trouver vos amis ?
— Oui, ⎰ je n'ai pas pu les trouver.
— Non, ⎱
— Si, j'ai pu les trouver.

1 Vous n'avez pas eu de place ?   (Oui... Non... Si...)
2 Vous n'avez pas pu réserver ?   (Oui... Non... Si...)
3 Vous ne venez pas dîner avec nous ?   (Oui... Non... Si...)
4 Vous ne voulez pas celle-ci ? etc.   (Oui... Non... Si...)

N.B. Petits déjeuners non compris ?
     — Oui, petits déjeuners en plus.
     — Si, petits déjeuners compris.

Il est 12 heures. La salle de restaurant est prête. Les garçons ont mangé et ont revêtu leur tenue de service. Le maître d'hôtel se tient près de la porte. Il a accueilli les premiers clients qui ont commencé à arriver.

Dites comment étaient les choses une heure avant :
Il est 11 heures. La salle de restaurant n'est pas encore prête. Les garçons n'ont pas encore...

On vous demande : Vous vivez à Genève ?
   et vous répondez : Oui, mais je ne suis pas genevoix.

1 Il vit à Berlin ?   4 Elles vivent au Québec ?
2 Vous vivez en Suède ?   5 Il vit à Alger ?
3 Elles vivent en Chine ?   6 Vous vivez au Danemark ?

Remettez dans le bon ordre les éléments des groupes de mots ci-dessous :
Ex. : table - le- avec - parc - une - sur - vue.
     → Une table avec vue sur le parc.

tables - deux - les - meilleures
gros - nos - tous - plus - clients
manger - à - grande - la - salle
quatre - réservées - les - tables
personnes - une - pour - table - trois
invitées - personnes - de - beaucoup
etc.

Votre savoir-faire

● Comment accueillir des clients

Vous êtes maître d'hôtel et il arrive un ou des clients français. Que dites-vous s'il y a :

s'il est :

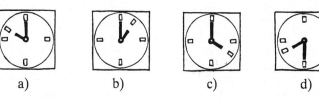

matin   a)   b)   c)   d)   soir

Ex. : 2 b) Bonjour, Madame. Un seul couvert ? (Vous désirez déjeuner ?)
        8 d) Bonsoir, Mesdames ; bonsoir, Messieurs. (Vous désirez dîner ?) (4 couverts ?).
N.B. Ne jamais dire « Bonjour (Bonsoir, etc.) Messieurs, Dames ».
On peut également faire utiliser la forme de l'hypothèse :
Ex. : 2 b) Si une dame seule entre au restaurant à midi, je dirai...

● Comment s'informer sur le nombre de personnes

Relevez dans les dialogues les diverses façons de demander le nombre de personnes.
(Une seule personne ? Un seul couvert ? etc.).
Faites-en un tableau.
A partir de ce tableau, imaginez les dialogues : vous êtes maître d'hôtel dans un
restaurant, vous accueillez les clients et vous leur demandez combien ils sont.

● Comment indiquer la table et y conduire les clients

Même exercice que ci-dessus, à partir des expressions utilisées dans les divers dialogues.

Les gaffes de Léon, maître d'hôtel

Pour aller plus loin

1 Compréhension orale

Au téléphone

« *La Bonne Marmite*. A votre service.
— Monsieur Robin ? Bonjour, Monsieur Robin. Ici, c'est Madame Letourneau.
— Ah ! Bonjour, Madame.
— Nous voudrions venir déjeuner aujourd'hui, avec quatre amis, c'est possible ?
— La salle commence à être bien pleine, mais nous vous réserverons une table bien placée, comme d'habitude. Je vous prépare quelque chose de spécial ?
— Oui, s'il vous plaît. Nous aimerions commencer par un soufflé d'écrevisses. On peut avoir ça ?
— Bien entendu, Madame. Je peux vous demander à quelle heure vous comptez passer à table ?
— Vous pouvez le préparer pour 13 h 15. Pour le reste, on verra sur place. Vous avez du gibier, je pense.
— Tout ce que vous voulez, Madame.
— Parfait. A tout à l'heure, Monsieur Robin. »

 Mme Letourneau est-elle une habituée du restaurant ? Justifiez votre réponse. Pourquoi M. Robin demande-t-il l'heure à laquelle les clients arriveront ?

Relevez les différentes façons qu'a Mme Letourneau de poser des questions.

2 Dictée

Attention ! La personne au téléphone vous parle à vitesse et de façon normales. Écoutez et prenez des notes, puis écrivez le message que vous transmettez au client français. Vous trouverez ci-dessous des possibilités de rédaction (... mais il y en a d'autres).

	Pour :	De la part de :	Message :
1	M. Ingrand	son épouse	un des enfants a eu un accident dans la rue ; ce n'est pas grave mais appeler sa femme : clinique St-François, 745-42-38.
2	M. Levasseur	sa secrétaire	téléphone de M. Journac ; il ne pourra pas assister au repas de midi ; téléphonera dans l'après-midi.
3	Mme Laurent	son collègue M. Soulat	devait rejoindre le groupe au restaurant à 12 h 30 : ne pourra pas être là avant 13 h. Commencer sans lui.
4	M. Timonet	M. Bianchini	le rendez-vous après le repas est avancé de 1/2 heure : il aura lieu à 14 h 30. Faire le nécessaire pour que le groupe soit à l'heure.
5	Mme Grande	son directeur général	rappeler le bureau d'urgence avant de commencer à parler des affaires à traiter.

3 Compréhension écrite

Les locaux du restaurant :

Locaux destinés aux clients

Ils comprennent : la salle à manger, les salons et diverses dépendances.

● **1 LA SALLE A MANGER**

De préférence située au rez-de-chaussée, elle doit être d'un accès facile et très attirante vue de l'extérieur. Dès l'entrée, il est essentiel que le client éprouve une impression de confort, d'agrément et de détente qui s'obtient en tenant compte de plusieurs facteurs :

— Bonne aération, assurée par une ventilation efficace qui ne laisse subsister aucune odeur désagréable.
— Chauffage très souple ; bonne isolation thermique et phonique.
— Excellent éclairage de jour, de nuit, destiné à créer une ambiance à la fois paisible et gaie.
— Décoration d'ensemble très étudiée qui varie selon la région, la classe de l'établissement, le style adopté.

Un choix très varié s'offre à l'exploitant :
— Style moderne (snacks, brasseries, etc.).
— Style rustique (salle à manger de montagne, forêt, campagne).
— Style classique (restaurant de ville, d'hôtel).
— Style ancien, bien déterminé (Louis XV, Directoire, Empire, etc.).
— Évocations étrangères : suédoises par exemple.

Dans tous les cas, des conseils de spécialistes très compétents s'imposent, car il faut absolument éviter toute faute de goût, ne jamais perdre de vue la facilité d'entretien, allier netteté et décor.

La décoration florale doit être soignée tant à l'intérieur qu'à l'extérieur. On ne saurait sous-estimer l'attrait qu'exerce sur le client la répartition judicieuse de fleurs et de plantes bien disposées et bien entretenues en toute saison (voir tome II, chapitre II).

● **2 LES SALONS**

Certains établissements importants disposent, en plus de la salle à manger, de salons de dimensions diverses équipés pour recevoir des clients en nombre variable à l'occasion de banquets, cocktails, et autres cérémonies.

● **3 LES DÉPENDANCES**

Elles sont à la disposition de tous les clients ; leur entretien, comme leur surveillance, exigent des soins vigilants. Citons :
— Les vestiaires.
— Les toilettes.
— Le téléphone.
— Le bar-fumoir ou salon d'attente.

Ph. Mazzetti, M.-L. Francillon et J.-J. Guilleminot, *Technologie du restaurant*, J. Lanore.

Situation 2 : « Je vais voir si nous pouvons faire quelque chose. »

Actes de communication courants

1 La table souhaitée est déjà réservée

Le maître d'hôtel	Voici, Monsieur. Est-ce que cette table vous convient ?
Le client	Elle est bien dans le passage. Je préfère celle-là, là-bas.
Le maître d'hôtel	Je regrette, Monsieur, mais c'est une table pour quatre personnes. Je ne peux pas y installer une seule personne. Par contre, je peux vous placer à la petite table dans le fond. J'enlèverai un couvert.
Le client	Parfait.

Le maître d'hôtel	Excusez-moi, Monsieur, mais cette table est réservée. Je ne peux pas vous la donner.
Le client	Bien, mais trouvez-moi une autre bonne table tranquille.
Le maître d'hôtel	Est-ce que je peux vous proposer celle qui est à côté de la dernière grande table ovale ?
Le client	La petite, là-bas ? Vous plaisantez ! Elle est en plein dans le passage.
Le maître d'hôtel	Je suis désolé, Monsieur, mais c'est tout ce qu'il me reste pour deux couverts.
Le client	Bon. Tant pis, Mais je m'en souviendrai.
Le maître d'hôtel	Je suis navré, Monsieur. Il est prudent de téléphoner pour le samedi soir.

 Combien y a-t-il de personnes dans le premier dialogue ? dans le deuxième ? Quel jour se passe le deuxième dialogue ? Pour quelles raisons le maître d'hôtel refuse-t-il la table ? dans le premier dialogue ? dans le deuxième ? Comment imaginez-vous le monsieur ? dans le premier dialogue ? dans le deuxième ?

Redites le dialogue en intervertissant les personnages.

2 Le nombre de personnes ne correspond pas

M. Regoux	Je suis M. Regoux. J'ai réservé une table pour six personnes.
Le maître d'hôtel	M. Regoux... En effet, Monsieur. Une table près de la baie.
M. Regoux	Oui, mais finalement nous sommes huit au lieu de six. Ça peut aller quand même ?
Le maître d'hôtel	Pas à la table réservée, Monsieur. On ne peut pas ajouter deux couverts. J'aurai une table pour huit, mais pas près de la fenêtre.
M. Regoux	Tant pis. Nous vous suivons.

 Quelle table M. Regoux a-t-il réservée ? Combien de personnes y a-t-il dans le groupe ? Le maître d'hôtel peut-il donner la table réservée ? Pourquoi ? Que propose-t-il à la place ?

Redites le dialogue : M. Regoux a le caractère du monsieur du dialogue précédent.

3 Il faut attendre un moment

Le maître d'hôtel	Six personnes ? Je suis désolé, Mesdames, je regrette beaucoup, Messieurs, mais je n'ai aucune table libre pour l'instant.
Le client	C'est ennuyeux. Nous avons téléphoné ; on nous a bien dit que c'était complet, mais aussi que, si nous venions, on essaierait de s'arranger.
Le maître d'hôtel	C'est-à-dire, Monsieur, que si vous n'êtes pas trop pressés, je vais certainement avoir une table de six qui va se libérer bientôt. Les clients en sont au dessert, et comme il y a des enfants, ces personnes ne vont certainement pas rester trop longtemps à table.
Le client	Bon. Nous ne sommes pas pressés. Ça va comme ça.
Le maître d'hôtel	Vous pouvez passer au bar en attendant, si vous voulez... Pardon... C'est par ici. Je vous préviendrai dès que la table sera prête.

 Qu'ont fait les clients avant de venir ? Que leur a-t-on dit ? A quel moment du repas en sont les clients à la table de six personnes dont parle le maître d'hôtel ? Que va-t-il se passer ?

4 Il n'y a plus de place

Le maître d'hôtel	Allô ! *Le Restaurant du Manoir*. A votre service.
Une cliente	....
Le maître d'hôtel	Je suis désolé, Madame, mais ce n'est pas possible pour le déjeuner. Le restaurant est complet.
La cliente	....
Le maître d'hôtel	Même pour deux personnes, Madame. Nous n'avons plus une seule place libre. Pour dîner, si vous voulez.
La cliente	....
Le maître d'hôtel	Je regrette vraiment, Madame. Nous espérons pouvoir vous accueillir une autre fois. Au revoir, Madame.

 Complétez le dialogue. Trouvez plusieurs formes pour les paroles de la dame. Redites le(s) dialogue(s) complet(s).

Les gaffes de Léon, groom

Exercices

Voulez-vous que je prenne votre parapluie ?

L'interrogation directe (5)

Vous proposez au(x) client(s) de :

1 prendre son (leur) parapluie 2 mettre un couvert de plus
3 dire au garçon de se dépêcher 4 servir tout de suite
5 attendre la sixième personne 6 choisir le vin
7 faire cuire davantage la viande 8 décrire les plats du menu

Les pronoms simples (4) : place du pronom

Comparez :
  Client : Trouvez-nous une autre bonne table.
  Garçon : Est-ce que je peux vous proposer...

ce que dit le client	ce que dira le garçon
Aidez-moi à pousser la table. Poussez-vous un peu. Mettez-la à côté de moi. Laissez-le sur la table. Décrivez-leur les plats, etc.	Pouvez } -vous... s'il vous plaît ? Voulez } Est-ce que je peux vous demander de...

a) Imaginez les paroles du garçon s'il veut dire la même chose que le client.

b) Imaginez des situations dans lesquelles le garçon et/ou le client utiliseront les phrases ci-dessus.

... la table dont parle le maître d'hôtel.

Les pronoms relatifs simples (3) : Dont

Transformez les deux phrases en une seule phrase.
    Ils attendent la table ; le maître d'hôtel parle de cette table.
→ Ils attendent la table dont parle le maître d'hôtel.
1 Nous sommes allés au restaurant ; tu nous en avais parlé.
2 Le patron a reparlé des changements ; nous en avions discuté.
3 Je te rends les plats ; je m'en suis servi.
4 Nous nous sommes occupés de l'affaire ; elle a réussi.
5 Voilà les faits ; nous nous en sommes plaints.
6 Le restaurant est fermé à présent ; sa cuisine était remarquable.

Une autre bonne table tranquille

L'ordre des mots dans la phrase simple (2)

Mettez les adjectifs dans le bon ordre et accordez-les avec le nom :

1 Un... café...
  (autre, noir, grand)
2 Les... restaurants...
  (nouveaux, classés, trois)
3 Une... nouvelle...
  (mauvais, autre, incroyable)
4 Les... recettes...
  (réputé, bon, vieux)
5 La... table...
  (ovale, deuxième, petite)
6 Un... garçon...
  (grand, brun, beau)

Le genre des noms (1)

Complétez en mettant la forme correcte :
1 ... hôtel est complet. (ce/cet/cette)
2 J'ai demandé... carafe d'eau et... verre au garçon. (un/une)
3 Il a fait suivant... habitude. (son/sa)
4 Mais c'est... habitude bien désagréable. (un/une)
5 ... personnes m'ont dit qu'on mange très bien dans ce restaurant mais ces renseignements ne sont pas ... (certains/certaines)
6 J'ai regardé dans ... livre de cuisine ! c'est bien ... livre de beurre qu'il faut. (le/la ; un/une)
7 ... garde qu'ils ont engagé ne semble pas assurer ... garde bien efficace. (le/la ; un/une)

Votre savoir-faire

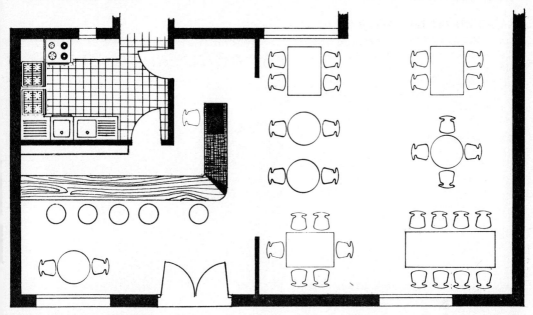

● Comment proposer une table

Vous êtes maître d'hôtel dans le restaurant dont le plan est donné ci-dessus. Il arrive :
un monsieur seul, deux messieurs, deux dames âgées, un groupe de cinq à six personnes,
etc.
Vers quelle table allez-vous les diriger ? Pourquoi ?
Imaginez le dialogue pour chaque situation décrite.

● Comment orienter le choix du client

Reprenez les situations de l'exercice ci-dessus.
Pour chaque situation :
— le client refuse la table ; vous donne la raison ; vous indique la table qu'il souhaite,
— vous ne pouvez pas attribuer la table qu'il souhaite ; vous dites pourquoi,
— vous faites une autre proposition,
— un nouveau refus - nouvelle proposition,
— le client accepte la table, ou s'en va.
Imaginez les dialogues correspondants.
Vous pouvez vous inspirer du tableau ci-dessous.

vous proposez	raison du refus du client	le client désire	raison de votre refus
une table près de la { porte terrasse fenêtre des cuisines etc.	passage des clients courant d'air soleil odeur	la table dans le coin une grande table ronde la table près de la fenêtre etc.	Elle est déjà réservée. Elle est à 6 couverts ; les clients ne sont que 3. Trop petite pour 6 couverts. Etc.

Pour aller plus loin

1 Compréhension écrite

Le restaurant est prêt à recevoir des clients ; à partir de ce moment :
— les employés sont à leur poste ;
— les rassemblements et les discussions cessent ;
— les ordres sont donnés à voix basse.

Il est recommandé en outre :
— d'avoir une tenue décente, de ne pas s'appuyer à une console ou à un mur ;
— de ne pas porter les mains au visage ou à la chevelure ;
— de ne jamais essuyer son visage avec sa serviette de service ;
— de surveiller son langage ;
— d'éviter au maximum le bruit des verres et de la vaisselle.

A. ACCUEIL DU CLIENT

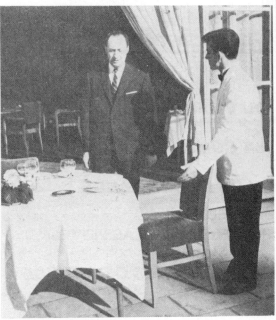

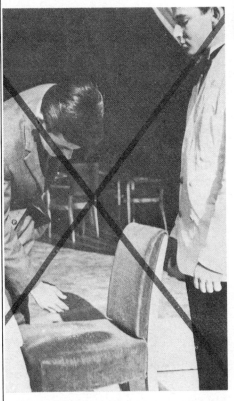

1. ACCUEIL DU CLIENT ▲

2. ACCUEIL INCORRECT ◄

Le responsable du restaurant se tient près de la porte pour accueillir le client et lui éviter toute attente et toute hésitation. Il l'accompagne jusqu'à sa table où il l'aidera aimablement à s'installer et à s'asseoir en tirant son siège. Il n'est pas obséquieux de tirer la chaise d'un client : c'est là un simple geste de courtoisie.
Si la table a été renouvelée, il faut prendre la précaution de remettre les sièges en ordre, après en avoir vérifié la netteté. Il serait très vexant par exemple, de voir un client enlever lui-même les miettes restées sur son fauteuil.

B. PRISE DE LA COMMANDE

Dès que le client est assis à sa table, il convient de lui présenter le menu ou la carte, ainsi que la carte des vins. On lui laisse le loisir de faire son choix.
Pendant ce temps, l'employé se tient face au client, dans une attitude correcte.
Généralement la commande est prise par le maître d'hôtel, mais dans les établissements où la brigade comprend un seul maître d'hôtel, ce sont souvent les chefs de rang ou les serveuses qui s'acquittent de cette tâche.

Ph. Mazzetti, M.-L. Francillon et J.-J. Guilleminot, *Technologie du restaurant*, J. Lanore.

2 Comment faut-il faire ?

Pour chaque photo,
dites ce qui se passe.
Décrivez la scène.
Agirez-vous ainsi ?
Pourquoi ? Comment ferez-vous ?

1	4
2	
3	5

3 Traduction en français

Des personnes de votre nationalité téléphonent pour transmettre des messages à des clients français qui ont réservé une table dans votre restaurant pour le repas suivant, et qui ne comprennent pas votre langue. Vous prenez ces messages et vous les traduisez en français.

Le professeur ou un élève joue le rôle des personnes qui téléphonent, et compose le texte des messages.

Chapitre 2 : Le service

Situation 1 : « Voyons... Qu'est-ce que nous allons manger ? »

Actes de communication courants

1

Le maître d'hôtel	Bonjour, Mesdames ; bonjour, Monsieur.
Un client	Bonjour. Qu'est-ce qu'on peut manger ?
Le maître d'hôtel	Vous avez différents menus, Monsieur, et puis vous avez une carte très variée.
Le client	Le service est compris dans vos prix ?
Le maître d'hôtel	Pour les menus à prix fixe, oui, Monsieur, mais si vous mangez à la carte, le service est en sus.

Comment est composé le groupe ? Qui parle ? Quelles sont les diverses possibilités offertes aux clients ? Quelle est la différence pour le service ?

Redites le dialogue : il y a plusieurs messieurs et une seule dame, c'est la dame qui parle.

2

Plusieurs clientes	Garçon, s'il vous plaît !
Le garçon	Oui, Mesdames.
Une des clientes	On sent un courant d'air insupportable ici. Vous ne pouvez pas le supprimer ?
Le garçon	Je suis désolé, Madame. C'est la climatisation. Vous êtes juste sous la bouche de ventilation. On ne peut pas l'arrêter sinon l'air deviendra étouffant.
La cliente	Mais nous ne pouvons pas rester à cette table, il faut nous en trouver une autre.
Le garçon	Je vais voir ce que je peux faire, Madame.

Comment est composé le groupe ? De quoi se plaint la dame ? Que demande-t-elle d'abord ? Pourquoi le garçon ne peut-il satisfaire sa demande ? Que demande ensuite la dame ?

Redites le dialogue et donnez-lui une suite :
le garçon peut (ne peut pas) donner une autre table.

3

Une cliente	Garçon ! On pourrait avoir sans attendre un menu spécial pour les enfants ? Quelque chose de simple et de rapide, servi tout de suite. Comme ça, les enfants pourront aller jouer dans le jardin.
Le garçon	Je peux vous donner de la viande grillée et de la purée. Et ensuite un fruit.
La cliente	Très bien. Apportez-nous donc deux viandes grillées pendant que nous choisissons.

Que demande la dame ? Pourquoi ? Que propose le garçon ?

Faites un tableau de ce que le garçon peut proposer pour un enfant à la place de la viande grillée, de la purée et du fruit.

Redites le dialogue en faisant varier ce que propose le garçon.

4

Le garçon	Désirez-vous l'apéritif, Mesdames, Messieurs ?
Une cliente	Bof... Non... Puis après tout, ça permettra d'attendre. Si on buvait ce truc qu'on aimait bien en Italie... Tu sais...
Un client	C'est peut-être typiquement italien. Vous avez du vermouth blanc ?
Le garçon	Bien sûr, Monsieur. Quatre vermouth blancs ?

 Comment est composé le groupe ?

Redites le dialogue. Le groupe a passé ses vacances dans votre pays ou un pays voisin, et demande un apéritif typique.

5

Le client	Je désire quelque chose de simple... pas trop lourd... et je suis pressé.
Le garçon	Oui, Monsieur. Vous avez notre formule « Autour d'un plat ». Voyez, ici : un plat, un dessert, la boisson. Ou alors un menu à 24 francs, avec entrée, plat, fromage ou dessert. Et chaque fois, voyez, vous avez deux ou trois choix.
Le client	La boisson est aussi comprise ?
Le garçon	Oui, Monsieur. Un quart de vin, rouge ou blanc, ou une bière, ou une demi-bouteille d'eau minérale. Le service est également compris.

Le client	Ah ! On va bien prendre notre temps et se régaler. Voyons, qu'est-ce que vous avez de bon à nous proposer comme menu ?
Le garçon	Vous avez notre menu à 50 francs, avec hors-d'œuvre, plat principal, fromage et dessert.
Le client	Ou alors...
Le garçon	Ou alors notre menu gastronomique.
Le client	Le service est compris ?
Le garçon	Oui, Monsieur, mais pas la boisson.

 Quelle est la différence d'attitude entre le monsieur du premier dialogue et celui du deuxième ? Comment les imaginez-vous ? Quelles sont les différences entre les diverses propositions du garçon ?

Exercices

**On sent
un courant d'air
insupportable.**

Donner le contraire
d'un mot (5)

Complétez les phrases en donnant le contraire du mot entre parenthèses.

1 Un peu moins de bruit, s'il vous plaît, c'est... (tenable)
2 Cessez donc de fumer, l'air est... (respirable)
3 Il a été bien... et le patron est furieux. (adroit)
4 Ne faites pas cela, vous voyez bien que c'est... (raisonnable)
5 Je n'irai plus dans ce restaurant, le garçon est trop... (agréable)
6 Non, je suis désolé, nous ne pouvons pas vous prendre ; c'est
tout à fait... (possible) ; etc.

**Il faut nous en donner
une autre.**

Le pronom En (4)

Vous demandez : Madame désire-t-elle que j'apporte de l'eau ?
et on vous répond : Oui, vous m'en apporterez une bouteille.

1 Messieurs, désirez-vous que je mette du champagne au frais ?
2 Dis donc, tu as apporté des cigarettes aux dames du fond ?
3 Et le petit garçon ? Tu lui as servi sa salade de fruits ?
4 Maître d'hôtel, est-ce qu'il faut donner du beurre
aux clients du 6 ?
5 Tu as servi du vin à la table 14 ?
6 Monsieur veut-il que je lui fasse goûter notre cognac ?

**C'est peut-être
typiquement italien.**

Adjectifs des noms
de pays (3)

a) *On vous demande :* Vous avez des amis en Italie ?
· *et vous répondez :* Oui, je connais beaucoup d'Italiens.

Vous avez des amis en Israël ? au Brésil ? en Inde ? en Égypte ?
au Chili ? en Algérie ? à Paris ? à Londres ? au Canada ? à
Athènes ? au Vietnam ? en Tunisie ?

b) *Même exercice que le précédent, mais en mettant au féminin :*

Vous avez beaucoup d'amies en Italie ? — Oui, je connais
beaucoup d'Italiennes.

**... ce truc
qu'on aimait bien
en Italie.**

Le genre des noms (2)

*Un client français vous dit où il va en quittant votre hôtel. Qu'est-ce qu'il
dira si le pays où il va est :*

le Japon　　　　　　　→ Je vais au Japon. *(à + le = au)*
l'Espagne, la France → Je vais en Espagne, en France.
　　　　　　　　　　　　　　　　(à + l', à + la = en)
les États-Unis　　　　→ Je vais aux États-Unis *(à + les = aux)*

Votre client se dirige vers :
la Belgique, le Canada, l'Inde, les Antilles, l'Autriche, etc.

**Vous avez
différents menus ?**

Le nombre des noms (1)

Qu'est-ce qui indique qu'il s'agit d'un pluriel ? pour l'oreille ? pour l'œil ?

*Écoutez les phrases suivantes. Dites ce qui, à l'oral, indique qu'il s'agit
d'un singulier ou d'un pluriel. Écrivez ensuite ces phrases.*

1 Ce restaurant a beaucoup de
clients.
2 Passez ces plats, s'il vous plaît.
3 Ils mangent ensemble.
4 Elles arrivent après-demain
soir.
5 Leur fille vient souvent.
6 Leurs fils vivent dans la même
ville.

Votre savoir-faire ● **Comment présenter un menu « à la française »**

MENUS DU MARDI 25 MARS 1980
=-=-=-=-=-=-=-=-=-=-=-=-=-=

Henri Gorsse
concessionaire buffet gare S.N.C.F.
et restauration ferroviaire
tél. (73) 91-36-42
63000 clermont ferrand
siret 865105 472 00019

Nos Menus sont servis de 11 H 30 à 14 H et de 18 H 30 à 21 H

En dehors de ces horaires : SERVICE A LA CARTE UNIQUEMENT

Menu "TOURISTIQUE" à 39,00 F

Vin (1/4) et service compris

   Terrine de Canard
ou Crudités assorties
  Le Soir : Potage

-=-=-

   Filet de Merlan pané

-=-=-

   Steak Marchand de vin
      - Pommes rissolées
ou Pintadeau farci
     -Haricots panachés

-=-=-

   Plateau de Fromages

-=-=-

   Corbeille de fruits
ou Pâtisserie
ou Glace

Menu à 24,00 F

Vin (1/4) et service compris

   Cervelas - Pommes à l'huile.
ou Crudités assorties
  Le Soir : Potage

-=-=-

   Goulasch à la Hongroise
         - Pommes rissolées
ou Viande rôtie - Sauce piquante
         - Haricots panachés

-=-=-

   Fromage ou Fruit

-=-=-=-=-=-=-=-=-=-=-=-=-=-=

Menu "AUTOUR D'UN PLAT" à 21,00 F.

Vin et Service compris

-=-=-=-=-=-=-=-=-=-=-=-=-=

Menu "GASTRONOMIQUE"
-voir en Salle Gastronomique-

-=-

BOISSONS CONSEILLEES : Service en sus

- Réserve Rouge du Maître de Chais 11°.14,50F
- Côte d'Auvergne Rouge ou Rosé........22,00F
- Côte de Provence Rosé................24,00F
- Côte du Rhône........................26,50F

- Corbière (½ bout.)......11,00F
- Bière Vega (23 cl.)......4,50F
- Eau Minérale............4,00F
- Café (service compris)...3,00F

-=-

La Clientèle est avisée qu'elle peut disposer d'eau en carafe gratuitement.

-=-

Pour tout réglement par CHEQUE, Veuillez présenter UNE PIECE D'IDENTITE.MERCI.

Analysez ce qui est proposé dans les différents menus.
Quel est l'ordre des plats ? Que peut-on supprimer ? Que comprend le prix ?
Comparez avec les habitudes de repas dans votre pays. Qu'est-ce qui est semblable ?
Qu'est-ce qui est différent ?

Choisissez, ou composez, quatre ou cinq menus typiques de votre pays. Vous les
proposez à des clients français en leur expliquant ce qui est différent de leurs habitudes.

Pour aller plus loin

1

*Le choix
d'un restaurant*

CLASSE ET CONFORT

🏰🏰🏰	Grand luxe et tradition	⬧⬧⬧⬧⬧ XXXXX
🏰🏰	Grand confort	⬧⬧⬧⬧ XXXX
🏰🏰	Très confortable	⬧⬧⬧ XXX
🏠🏠	Confortable	⬧⬧ XX
🏠	Assez confortable	
🏡	Simple mais convenable	⬧ X

Ⓜ	Dans sa catégorie,
	hôtel d'équipement moderne
sans rest	L'hôtel n'a pas de restaurant
avec ch	Le restaurant
	possède des chambres

LA TABLE

Les étoiles : voir les cartes p. 54 à 61.

En France, de nombreux hôtels et restaurants offrent de bons repas et de bons vins.

Certains établissements méritent toutefois d'être signalés à votre attention pour la qualité de leur cuisine. C'est le but des étoiles de bonne table.

Nous indiquons pour ces établissements trois spécialités culinaires et des vins locaux. Essayez-les, à la fois pour votre satisfaction et pour encourager le chef dans son effort.

✿ 522	**Une très bonne table dans sa catégorie.**

L'étoile marque une bonne étape sur votre itinéraire.
Mais ne comparez pas l'étoile d'un établissement de luxe à prix élevés avec celle d'une petite maison où à prix raisonnables, on sert également une cuisine de qualité.

✿✿ 70	**Table excellente, mérite un détour.**

Menus et vins de choix, ... Attendez-vous à une dépense en rapport.

✿✿✿ 20	**Une des meilleures tables de France, vaut le voyage.**

Tables merveilleuses, gloire de la cuisine française.
Grands vins, service impeccable, cadre soigné, ...
Prix en conséquence.

Les repas soignés à prix modérés

Tout en appréciant les bonnes tables à étoiles, vous souhaitez parfois trouver sur votre itinéraire, des restaurants plus simples à prix modérés. Nous avons pensé qu'il vous intéresserait de connaître des maisons qui proposent, pour moins de 50 F, un repas soigné, souvent de type régional.

Ouvrez votre guide au nom de la localité choisie. La maison que vous cherchez se signale à votre attention par un prix de repas imprimé en caractère gras et la lettre R en rouge, ex. : **R 42**.

Repas

←	Établissement proposant un menu simple à **moins de 30 F.**
SC	Établissement pratiquant le service compris ou prix nets
R 30/55	**Prix fixe** minimum 30 et maximum 55
28/65	Prix fixe minimum 28 non servi les dimanches et jours de fête
R 42	Repas soigné **à prix modérés**
bc	Boisson comprise
⚱	Vin de table en carafe à prix modéré
R carte 38 à 70	**Repas à la carte** — Le premier prix correspond à un repas simple comprenant : hors-d'œuvre, plat garni et dessert
	Le 2ᵉ prix concerne un repas plus complet (avec spécialité) comprenant : deux plats, fromage et dessert
	sauf indication spéciale bc , *la boisson est facturée en supplément aux prix fixes et à la carte*
⊐ 10	Prix du petit déjeuner du matin servi dans la chambre
☕ 9	Prix du petit déjeuner du matin non servi dans la chambre

AVALLON ⬤ᴾ 89200 Yonne 🆖🆖 ⑯ G. Bourgogne – 9 255 h. alt. 254 – ✪ 86.

Voir Site★ – Portails★ de l'église St-Lazarre – Vallée du Cousin★ par D 427, AZ.

🅱 Office de Tourisme 24 pl. Vauban (1ᵉʳ avril-10 sept. et fermé dim.) ☎ 34.14.19.

Paris 224 ③ – Auxerre 60 ③ – Beaune 107 ③ – Chaumont 137 ② – Nevers 107 ⑤ – Troyes 103 ①.

XXX **Moulin des Ruats** ⬥ avec ch, dans la vallée du Cousin par ⑤ et D 427 : 4,5 km ☎ 34.07.14 , ⬥, « Frais jardin au bord de l'eau » – ⬜wc ☜ 🅿 🖾 🖭 🄴 1ᵉʳ mars-31 oct. – **R** carte 95 à 150 – ⊐ 14 – 21 ch 90/180.

XXX ✿ **Morvan** (Breton), 7 rte Paris ☎ 34.18.20, parc – 🅿 🖭 🄶🄱 ⓪   AY **d**
fermé fév., jeudi sauf fériés et le soir hors sais. sauf sam. – SC : **R** 86/130
Spéc. Le Rougeot (filet canard sauvage fumé), Timbale d'escargots au Chablis et noisettes, Suprême canard sauvage aux nouilles fraîches (août à fév.). Vins Chablis, St-Bris.

X **Les Capucins**, 6 av. P.-Doumer ☎ 34.06.52 – 🄶🄱   AY **e**
fermé janv. et merc. – SC : **R** 32/85.

X **Cheval Blanc**, 55 r. Lyon ☎ 34.12.05 – 🅿 🄶🄱   BY **s**
← fermé nov. et lundi – SC : **R** 30/50 ⚱.

*Que pouvez-vous dire
de chacun des restaurants
suivants ?*

ROANNE ⬦ 42300 Loire 📖 ⑦ G. Vallée du Rhône – 56 498 h. alt. 279 – ⚙ 77.
Voir Gorges de la Loire★ S : 3 km par D 56, AZ.
🅘 Office de Tourisme (fermé lundi matin) A.C. et T.C.F. Cours République ☎ 71.51.77.
Paris 391 ⑥ – Bourges 196 ⑥ – Chalon-sur-Saône 132 ① – ◆Clermont-Ferrand 101 ④ – ◆Dijon 200
① – ◆Lyon 86 ③ – Montluçon 140 ⑥ – ◆St-Étienne 77 ⑥ – Valence 195 ① – Vichy 74 ⑥.

XXXX ❀❀❀ **H. des Frères Troisgros** Ⓜ avec ch, pl. Gare ☎ 71.66.97 – 🖿 rest 📺
🛏wc 🛁wc ☎ Ⓟ ⟨⟩ AE ⓞ AY r
fermé janv. et mardi – **R** (nombre de couverts limité - prévenir) 178/240 et carte –
⟟ 22 – **18 ch** 160/240
Spéc. suivant saisons. **Vins** Fleurie.

XX **Bonnin,** 48 r. Ch.-de-Gaulle ☎ 71.21.69 – 🖿 AE BY n
fermé 14 juil. au 6 août et 7 au 25 déc. – SC : **R** 35/110 🍷

XX **Taverne Alsacienne,** pl. Paix ☎ 71.21.14 BZ m
fermé 28 avril au 23 mai, 13 au 22 oct. et lundi – SC : **R** 35/70 🍷 **Brasserie R** carte
environ 55 🍷

X **Don Camillo,** 6 r. P.-Brossolette ☎ 71.87.88 AY p
fermé 15 juil. au 19 août, sam. midi et lundi – **R** carte 50 à 70.

Extraits du *Guide Michelin - France,*
1980. Michelin, Paris.

2 Traduisez dans votre langue le texte ci-dessous.

vous allez au restaurant ou au café

AU RESTAURANT...

Il est normal — c'est même une obligation — que les prix des menus à « prix fixe », « de la carte » et des boissons les moins chères soient affichés à l'extérieur, de manière à ce que vous puissiez les consulter avant d'entrer.

A table, et avant toute commande, les mêmes indications, complétées éventuellement par la carte des vins, doivent vous être fournies ; de même les menus « à prix fixe » doivent figurer sur la carte de l'établissement et vous être obligatoirement présentés.

Dans chaque restaurant vous devez trouver l'indication des plats ou menus et boissons « conseillés » en haut ou au milieu de la carte d'ensemble de l'établissement dont les prix, service compris, doivent être établis dans les limites fixées par l'Administration.

Les prix de tous les menus à prix fixe, qu'ils soient « conseillés » ou non, doivent être affichés « service compris ».

... OU AU CAFÉ

Pas de surprise si les prix sont, comme il se doit, affichés de manière visible et lisible par le client, avant qu'il ne commande sa consommation.

Une liste spéciale de six boissons dites « Pilotes » est proposée à la clientèle à des prix limités par l'Administration, sauf dans les établissements de luxe. Il s'agit de la tasse de café et de la bière à la pression ou à défaut en bouteille, ainsi que de l'eau minérale non gazeuse, de la limonade, du lait, d'une boisson aux fruits ou au jus d'un fruit nommément désigné, dans les deux contenances suivantes :
Verre de **12 ou 15 cl** et de **20 ou 25 cl.**

Dans les établissements où un ticket est remis au client, le prix et la mention concernant le service doivent être identiques à ceux figurant sur l'affichage.

Vacances sans sur-prix, vacances sans surprise, 1976. Direction générale de la concurrence et de la consommation, Ministère de l'Économie, Paris.

Situation 2 : « Qu'est-ce que vous nous conseillez ? »

Actes de communication courants

1

Un client	Ah ! Voyons ce qu'il y a sur la carte. Bof ! Quelle liste ! On s'y perd.
Le maître d'hôtel	Mais non, Monsieur. Si vous permettez, ici vous avez tout ce qui concerne le début du repas, les potages, les hors-d'œuvre, les crustacés ou les coquillages...
Le client	Hm...
Le maître d'hôtel	Ici vous avez les entrées, chaudes et froides, puis les poissons, les viandes et les légumes.
Le client	D'accord, et là les fromages et les desserts. Bon, pour ça on verra plus tard.

Quelles sont les différentes rubriques que l'on peut trouver sur une carte en France ? Mettez des plats de votre pays dans la rubrique qui convient.

Procurez-vous des cartes de restaurants de votre pays ; expliquez à un client français ce que l'on trouve dans les diverses rubriques.

2

Le maître d'hôtel	Est-ce que je peux me permettre, Monsieur...
Le client	Oui... ?
Le maître d'hôtel	Je vous signale que nous avons eu ce matin un arrivage d'écrevisses. Elles ne sont pas sur la carte, mais si vous le désirez, je peux vous en faire préparer.
Le client	Comment ?
Le maître d'hôtel	A la nage, c'est-à-dire bouillies avec des aromates, ou alors...
Le client	Non, pas d'écrevisses. C'est trop long à manger.

Faites un tableau des possibilités de variations du plat proposé, de la façon de le préparer, et de la raison du refus.

Redites le dialogue en introduisant ces variations.

3

La cliente	Vous avez toujours des noms impossibles sur ces cartes. Qu'est-ce que c'est que le « Filet de veau surprise » ?
Le maître d'hôtel	C'est un filet de veau, garni de rognons de veau, cuit très doucement, mijoté à la cocotte, avec des petits oignons. On le sert avec une sauce au cognac.
La cliente	Hm... Pas mal. Et la garniture ? C'est quels légumes ?
Le maître d'hôtel	Une mousseline de carottes, une purée très fine.

4

Un client	Dites-moi… Nous sommes bien indécis, nous ne savons pas quoi choisir. Chaque plat est plus tentant que l'autre.
Le maître d'hôtel	Qu'est-ce que vous souhaitez comme plat principal ? Viande ? Poisson ? Je peux vous faire une belle pièce de bœuf, bien grillée, pour cinq personnes.
Le client	C'est une idée, ça. Personne n'est contre, Messieurs ? On veut bien, voyez.
Le maître d'hôtel	Pour la cuisson, Messieurs ? Bleu, saignant, à point ?
Le client	Ah ! L'éternel problème. Saignant pour moi, pour vous aussi ?… aussi ?… aussi ?… Parfait. Saignant pour tout le monde. Et pour commencer, qu'est-ce que vous allez nous donner ?
Le maître d'hôtel	J'ai un très bon saumon fumé, frais.
Le client	Très bien. Pour la suite, on verra plus tard.

Comment imaginez-vous le groupe ? le restaurant ? Par quoi commence le maître d'hôtel ? Que propose-t-il ? Quelles sont les diverses cuissons proposées ? Quelle est celle qui est choisie ? Par quoi commencera le repas ?

Redites le dialogue.

5

Le client	Qu'est-ce que c'est que les « lisettes », garçon ?
Le garçon	Ce sont des filets de maquereau frais, dans une marinade au vin blanc, avec divers aromates. Mais… nous n'en avons plus aujourd'hui, Monsieur. Je regrette.
Le client	Alors, pourquoi les mettre sur la carte ? C'est bien ennuyeux. Il n'y a jamais ce que l'on désire. Donnez-moi donc des crudités. Vous en avez, au moins ?
Le garçon	Certainement, Monsieur.

Comment imaginez-vous le client ?

Redites le dialogue en remplaçant les « lisettes » et les crudités par des entrées de votre pays, les unes un peu extraordinaires (comme les « lisettes ») et demandant une explication, les autres très courantes (comme les « crudités »).

Exercices

C'est bien ennuyeux.
ennui → ennuyeux

La dérivation des mots (4) :
nom → adjectif

fin de l'adjectif	noms correspondants
al, - ale	automne, famille, fin, fleur, idée, machine, musique, nation, théâtre
el, - elle	personne, industrie, mort
ier, - ière	école, hôtel, lait, pétrole, route, saison
in, - ine	enfant, cheval, femme, sang
eux, - euse	amour, nuage, bouton, colère, coton, courage, danger, peur, fièvre, laine, malheur, pâte, montagne, orage
é, - ée	argent, arme, chocolat, beurre, chiffon, étoile, huile
if, - ive	faute, malade, progrès // imagination, attention, direction (- if remplace - ion)

1 A partir du tableau, utilisez les noms et les adjectifs dans des phrases.
2 Trouvez le sens d'expressions comme :
une orange sanguine, un geste théâtral, etc.

Mais nous n'en avons plus aujourd'hui.

Les diverses formes de négation (4) :
ne ... plus

Vous bavardez avec un monsieur très pessimiste sur le monde actuel.
Vous lui dites : Nous avons encore des jeunes qui travaillent.
et il vous répond : Pensez-vous ! Nous n'avons plus de jeunes qui travaillent.
Vous lui dites que nous avons encore :
des produits sains — des voitures solides — des hôtels agréables — des coins tranquilles — du personnel poli — de bons restaurants.

On veut bien une pièce de bœuf bien grillée.

L'ordre des mots dans la phrase simple (3)

On vous dit : Ses parents voyagent beaucoup.
et vous approuvez en disant : Oui, et ils ont toujours beaucoup voyagé.

1 Ces clients mangent peu.
2 Leur fils travaille bien.
3 Son mari conduit peu.
4 Ce garçon sert mal.
5 Cet employé parle trop.
6 Sa femme cuisine bien, etc.

... dans une marinade au vin blanc avec divers aromates.

Le nombre du nom (2)

Écoutez les phrases suivantes. Dites ce qui, à l'oral, indique qu'il s'agit d'un singulier ou d'un pluriel. Écrivez ensuite ces phrases.

1 Ils ont trop de plats sur leur carte.
2 Oui, donnez-moi quelques écrevisses.
3 Certains clients ne sont pas aimables.
4 Ça a un goût d'œuf.
5 Je leur ai fait diverses remarques.
6 Dans le plat de viande, il n'y avait que des os.

Chaque plat est plus tentant que l'autre.

Le comparatif et l'intensité (1)

Restaurant	prix du menu	distance de la mer	nombre de couverts	confort	calme
1 *Terminus*	28	3 km	28	++	+++
2 *Bellevue*	35	5 km	54	+	++
3 *La Caravelle*	75	1 km	32	+++	++++
4 *Neptune*	95	0	46	++++	+

Comparez ces restaurants. Ex. : Le Bellevue est moins cher que La Caravelle, mais il est plus loin de la mer, etc.

Votre savoir-faire ● Comment présenter ce qui est sur la carte

Analysez ce qui est proposé pour les différentes rubriques.

Quels sont les différents modes de cuisson ? (Voyez aussi p. 85.) Faites une rapide description de chacun des plats. Comparez avec les plats de votre pays. Qu'est-ce qui est semblable ? Qu'est-ce qui est différent ?

Choisissez des plats de votre pays, ou procurez-vous une carte d'un restaurant. Vous expliquez à des clients français :
— quels sont les aliments de chaque plat ; — comment ils sont cuits.

Les gaffes de Léon, commis débarrasseur

Pour aller plus loin

1 La France gastronomique

En vous inspirant du texte des pages 86-87, trouvez le nom des principales spécialités gastronomiques régionales qui apparaissent sur cette carte.

2 Compréhension écrite / expression orale et écrite

Comment décrirez-vous ces restaurants parisiens ?

L'*Officiel des Spectacles*, Paris.

3 Traduisez dans votre langue

1 Nous sommes allés au restaurant qui vient d'ouvrir et nous avons vu le patron qui nous a très gentiment reçus.
2 Le plat que tu nous avais conseillé n'était plus au menu, et le maître d'hôtel, à qui nous avons demandé pourquoi, n'a pas pu nous répondre.
3 Ce que je vois, c'est qu'il ne travaille pas, et ce qui m'ennuie, c'est qu'il ne fait rien pour changer.
4 Pensez-vous qu'ils auront aimé le restaurant où vous les avez envoyés ?
5 C'est ce dont il s'agit, mais il n'y a rien dont tu puisses t'inquiéter.
6 Nous sommes arrivés au moment où le restaurant fermait, c'est-à-dire à une heure où on va plutôt au lit qu'à table.

Situation 3 : « Ce plat vous convient-il? »

Actes de communication courants

1

Le garçon	Excusez-moi... mais je crois que le saumon est pour Madame...
Une cliente	Oui.
Le garçon	Pardon, Madame... Le jambon d'Auvergne est pour Madame ?
Le client	Non, c'est pour moi. Madame a pris une terrine de canard.
Le garçon	Excusez-moi, Monsieur... Bon appétit, Mesdames ; bon appétit, Monsieur.

Combien y a-t-il de clients ? Qui sont-ils ? Qu'est-ce que chacun a commandé pour commencer le repas ? Que fait le garçon lorsqu'il dit « Pardon, Madame » ? et entre « ... Monsieur » et « Bon appétit » ?

Redites le dialogue ; changez : le nombre de clients, les plats commandés.

2

Le maître d'hôtel	Ce plat est-il à votre goût, Madame ?
La cliente	C'est absolument délicieux. Qu'est-ce qu'il y a, là-dedans ?
Le maître d'hôtel	La viande est tout simplement du jambon fumé cru, cuit à la poêle et flambé au cognac.
La cliente	Oui, elle est bonne, mais c'est surtout la sauce qui est un régal.
Le maître d'hôtel	Elle aussi est simple. C'est une sauce faite à base de vinaigre et de condiments. On ajoute des jaunes d'œufs et de la crème.
La cliente	J'essaierai la recette.

Décrivez, à votre façon, comment est fait le plat que mange la dame.

3

Un client	Garçon, venez donc voir ici.
Le garçon	Oui, Monsieur.
Le client	Dans le plus grand hôtel de la ville, qui est celui où nous nous trouvons, on s'attend à avoir au moins de la salade bien lavée...
Le garçon	Mais, Monsieur...
Le client	Tenez, regardez là. On voit la terre et les grains de sable.
Le garçon	En effet, Monsieur ; je suis désolé. C'est une erreur que je vais signaler au chef de cuisine.
Le client	Dites-lui donc, en même temps, que sa viande était trop fraîche. Mon steak était bon, mais dur.
Le garçon	Je vais le lui dire, Monsieur. Je vous rapporte tout de suite une autre salade.
Le client	Bien lavée, cette fois, s'il vous plaît.

Où se passe la scène ? Comment imaginez-vous le client ? Le client se plaint de deux choses, lesquelles ? Pouvez-vous dire une partie de son menu ? Que va faire le garçon ?

4

Le garçon	Monsieur Dubost, s'il vous plaît, n'est pas parmi vous, Messieurs ?
M. Dubost	Si, c'est moi. Pourquoi ?
Le garçon	On vous demande au téléphone.
M. Dubost	Qui ça ?
Le garçon	Je ne sais pas, Monsieur.
M. Dubost	Où est le téléphone ?
Le garçon	Si vous voulez bien me suivre, Monsieur.

 Comment le garçon demande-t-il si M. Dubost est l'un des clients ? Le garçon doit-il dire si c'est un monsieur ou une dame qui appelle ? Pourquoi ? Le garçon se contente-t-il d'indiquer où se trouve le téléphone ? Que fait-il ?

Redites le dialogue.

5

Un client	Ah ! Maladroit !
Le garçon	Excusez-moi, Monsieur, j'ai fait un faux mouvement. Mais c'est du vin blanc très sec. Ça ne fera certainement pas de tache. Je vais chercher de l'eau chaude tout de suite.
Le client	Et s'il y a une tache quand même ?
Le garçon	Nous vous demanderons de faire nettoyer le costume chez un teinturier et de nous faire envoyer la facture. Nous sommes assurés pour ça.

 Que s'est-il passé à votre avis, juste avant que le client dise « Ah ! Maladroit ! » ? Que va faire le garçon ? Que faudra-t-il faire s'il y a une tache ?

Les gaffes de Léon, maître d'hôtel

Exercices

**M. Dubost n'est pas parmi vous, Messieurs?
— Si, c'est moi.**

Répondre avec Si : (5)

Le professeur écrit au tableau « si », « oui » et « non ». Les élèves posent des questions appelant la réponse indiquée par le professeur. Un autre élève répond en ajoutant une indication.

Ex. : *Le professeur montre « oui ».*	*1er élève :*	Il y a beaucoup de monde ce soir?
	2e élève :	Oui, l'hôtel est complet.
Le professeur montre « si ».	*1er élève :*	Tu ne travailles pas aujourd'hui?
	2e élève :	Si, mais seulement ce soir.

... qui est celui où nous nous trouvons...

Les relatifs simples (4) : Où

Remplacez les mots soulignés par le pronom relatif « où ».

1 Je connais le restaurant <u>dans lequel</u> il travaille.
2 Je prends souvent le chemin par <u>lequel</u> vous passez.
3 J'ai vécu longtemps dans la région de <u>laquelle</u> il vient.
4 Il vous a dit le nom de la ville vers <u>laquelle</u> il se dirige?
5 Je passe parfois dans la rue <u>dans laquelle</u> elle habite.
6 Rappelez-vous bien le nom des hôtels <u>dans lesquels</u> il descend.

Le jambon d'Auvergne.

Le genre des noms (3)

Un client vous dit d'où il vient en arrivant à votre hôtel.

Que vous dira-t-il si le pays d'où il vient est :

le Venezuela	→	J'arrive du Venezuela.	*(de + le = du)*
l'Irlande	→	J'arrive d'Irlande.	*(de + l' = d')*
la Suisse	→	J'arrive de Suisse.	*(de + la = de)*
les Caraïbes	→	J'arrive des Caraïbes.	*(de + les = des)*

Que dira-t-il si le pays est :
la Grande-Bretagne, le Mexique, l'Algérie, les Bahamas, l'Italie, le Portugal, les U.S.A., etc.

Dans le plus grand hôtel de la ville...

La comparaison et l'intensité (2) Le superlatif

Utilisez le tableau de la page 78 pour faire des phrases du type :

Le restaurant *Terminus* est le moins cher; c'est aussi le plus petit, mais ce n'est pas le plus loin de la mer, ni le moins confortable.

Mon steack était bon, mais dur.

Les possessifs (1) : forme des adjectifs

Exprimez toutes les relations possibles : mon livre, ta maison, etc.

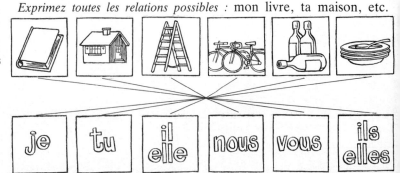

Votre savoir-faire

• Comment décrire un plat

Griller,		faire cuire sur un grill, au four ou sur le feu.
Poêler,		faire cuire dans une poêle avec des corps gras.
Frire,		faire cuire en trempant dans des corps gras.
Blanchir,		mettre à l'eau bouillante quelques minutes (surtout les légumes).
Braiser,		faire cuire dans une casserole avec le couvercle.
Étouffer,	c'est	faire cuire à la vapeur dans un récipient fermé.
Mijoter,		laisser cuire lentement.
Pocher,		tremper quelques instants dans l'eau bouillante (poissons, œufs).
Réduire,		laisser bouillir une sauce à découvert jusqu'à ce qu'elle ait épaissi et diminué de quantité.
Saisir,		chauffer très fortement une viande pour roussir la surface.
Sauter,		faire cuire à feu vif en agitant le récipient de temps en temps.

• Comment préparer... une sauce froide — SAUCE MAYONNAISE

2 jaunes d'œuf - vinaigre ou citron - huile - moutarde - sel - poivre.

Mettez dans un bol les jaunes d'œuf, 1 cuillère de moutarde blanche, salez, poivrez, mélangez le tout à la fourchette ou au batteur et tout en continuant à mélanger faites couler l'huile en un très léger filet. La sauce étant prise ajoutez, toujours en mélangeant, le vinaigre ou le citron. Si la sauce ne prend pas ou est tournée, ajoutez 1 cuillerée de vinaigre bouillant et tournez jusqu'à consistance normale.

... une sauce chaude — SAUCE BLANCHE *cuisson 15 minutes*

50 g de beurre - 1 cuillerée de farine - 1 verre d'eau froide - 1 jaune d'œuf - 1 cuillerée de vinaigre - sel - poivre blanc.

Faites fondre le beurre à feu doux, ajoutez en délayant la farine, laissez quelques instants sur le feu, remuez puis ajoutez un verre d'eau froide, salez, poivrez et faites épaissir. Retirez du feu et ajoutez le jaune d'œuf que vous aurez préalablement délayé avec un peu de vinaigre. Mettez la sauce sur le coin du feu, ne laissez pas bouillir. Vous pouvez remplacer l'eau et l'œuf par du lait.

... un plat — ÉPAULE DE MOUTON AUX NAVETS *cuisson 2 heures*

1 kg d'épaule de mouton - 60 g de beurre - 3 verres de bouillon - bouquet garni - 500 g de navets - 2 cuillerées de farine - sel - poivre.

Faites dorer de tous côtés l'épaule de mouton dans le beurre et retirez-la de la cocotte. Remettez un peu de beurre et saupoudrez de farine, mélangez bien et laissez roussir légèrement, salez, poivrez, puis mouillez avec le bouillon, ajoutez le bouquet garni. Remettez la viande dans la cocotte, couvrez et laissez cuire 1 h 30 minutes. Dans une poêle, faites dorer les navets, mettez-les ensuite avec l'épaule et laissez cuire encore 1/2 heure. Servez sur plat chaud.

Tante Marie. *La véritable cuisine des familles*, Cartes Taride.

Expliquez à un client comment sont préparés le plat et les sauces ci-dessus.
Expliquez à des clients français des plats et des sauces de votre pays.

Pour aller plus loin

Compréhension écrite

Le Tour de France gastronomique : Excursions gourmandes

Cette promenade gastronomique, commençons-la par les restaurants régionaux. Nous parlerons, en juste apothéose, de ces très Grandes Tables qui sont un des fleurons de Paris, et la fierté de la cuisine française.

La Cuisine ALSACIENNE, c'est d'abord l'évocation de ces plantureuses choucroutes qu'apprécient nos Amis d'outre-Rhin, choucroutes à la bière ou au Riesling, plat habituel des repas alsaciens. Mais l'Alsace, c'est aussi le pays de savoureux foies gras.
Profitez-en pour faire plus ample connaissance avec les vins d'Alsace. Vous commanderez, bien sûr, un riesling ou un traminer, mais goûtez donc un Pinot noir, et accompagnez votre dessert d'un gewurtztraminer. Vous en aurez le cœur réjoui et, peut-être, serez-vous aimablement servi par un personnel en costume régional.

L'AUVERGNE n'a pas, en matière de gastronomie, la réputation qu'elle mérite. Beaucoup de restaurateurs parisiens sont originaires d'Auvergne, et ils y recrutent leur personnel.
Et ils font venir « du pays » des produits de haute qualité qu'ils préparent à la mode « de cheu nous ».
L'AUVERGNE et le ROUERGUE, régions voisines, ont ainsi, à Paris bon nombre d'Ambassadeurs.

Il y a, dans Paris, mille restaurants d'AUVERGNE, les uns de luxe, d'autres de simples « bistrots ».
Autrefois, les Auvergnats venaient à Paris et s'y établissaient marchands de charbon, tandis qu'à côté, la femme était aux fourneaux. C'étaient les « bougnats ». Et si aujourd'hui, un bistrot affiche « Produits d'Auvergne », ne faites pas attention au décor, essayez-le, avec ses « tripoux » et son vin de Saint-Pourçain...

La BOURGOGNE et le .LYONNAIS, sont deux provinces de très grande cuisine. Beaucoup de Chefs réputés en sont originaires. Il est difficile de les séparer. Ils ont le même goût pour une cuisine riche, à la fois plantureuse et fine.
Leur point commun pourrait être le coq au vin, venu de la Bresse, région aux volailles de grain justement réputées. Le jambon persillé, la meurette ou la peuchouse vous sera offert par le Bourguignon, alors que son complice lyonnais vous proposera saucisson chaud, quenelles ou gras-double. Autre point commun, la qualité de leurs viandes rouges ; ils sont, tous deux, voisins du Charolais.
Ils se différencient cependant par leurs vins, mais qu'ils soient de Bourgogne, de Beaujolais, du Mâconnais ou de Côtes du Rhône, tous sont vins nobles, et les deux compères s'accorderont pour dire que côte de nuits, ou côte de beaune sont les meilleurs vins du Monde.
Et l'on vous offrira le « KIR » apéritif fait de vin blanc et de crème de cassis, du nom du chanoine KIR, député-maire gourmand de Dijon qui en popularisa l'usage.

Le SUD-OUEST est une des régions les plus gastronomiques de France. Maisons du PÉRIGORD, de DORDOGNE ou des LANDES, celles qui arborent ce blason ont souci de l'honorer et vous feront faire de mémorables agapes. Le Périgord et la Dordogne, fiers de ces savoureuses et précieuses perles noires que sont les truffes et dont ils sont les seuls producteurs, ouvriront les réjouissances avec un foie gras truffé, d'oie ou de canard.

Les Landes vous offriront gibier en saison, ou volailles, et le Bordelais, avec son incomparable gamme de vins de très haut lignage, leur fera une agréable liaison.

Bien entendu, votre restaurateur vous dira que les vins de Bordeaux sont les meilleurs du monde et, s'il est de Cahors, il vous parlera des vins de chez lui.

On mange bien dans toutes les régions de France, et Paris fait la synthèse. Paris choisit dans chaque région ce qu'il y trouve de mieux. Y compris ses meilleurs cuisiniers.

C'est ainsi que vous y mangerez normand, tourangeau ou picard. Vous y trouverez même les meilleurs restaurants spécialistes du poisson et des coquillages.

Les plus nombreux ont des enseignes bretonnes, des noms de ports, ou des appellations gaéliques. Un simple nom a confirmé la réputation de certains autres. (...)

Vous y dégusterez des plateaux de fruits de mer artistiquement présentés, des crustacés, simple homard grillé, langouste Thermidor, homard à l'armoricaine, et des poissons aux sauces savoureuses. (...)

Vous vous régalerez d'huîtres, de fruits de mer au parfum iodé sur lit d'algues, ou de poisson frais de la mer du Nord, de la Manche ou de l'Océan. (...)

Et puis, ne les oublions pas, il y a « ceux » du Midi, avec leur soupe de poissons et leur bouillabaisse.

Et leurs spécialités : les « pieds paquets marseillais », le poulet à la provençale parfumé aux herbes de Provence, cuisine typique qui donne envie de retrouver cet accent de Marseille.

Et il y a LES GRANDS !

Ils sont chargés d'étoiles comme des généraux vainqueurs de cent batailles et glorieux comme les Grands de l'Histoire.

Leurs enseignes sont les Hauts-lieux du Paris Gastronome, et leur nom, ou même leur simple prénom, suffit à porter leur réputation au-delà des frontières. (...)

Chez eux, tout est luxe discret, service attentif et diligent, art suprême de la préparation culinaire, cave garnie des meilleurs crus et des grands millésimes. Tout y contribue à sublimer la joie du convive. (...)

Pour la plus grande gloire de la cuisine de France, nous saluerons bien sûr ceux qui, dans le même esprit, vous attendent dans nos Provinces : illustres confrères qui ont préféré faire la gloire de Colmar, de Tours, de Lyon, de Savoie et de Provence, de tous ceux enfin qui ont contribué au grand Renom gastronomique de la France dans le Monde.

On ne peut évidemment clore ce chapitre des escapades gourmandes sans faire état des restaurants typiques ou pittoresques. Ils sont nombreux, et si certains ne valent que par leur décor, il en est qui offrent une cuisine d'excellente qualité. (...)

Vous trouverez des tavernes installées dans des décors anciens, ou reconstituées avec plus ou moins de bonheur, et vous vous étonnerez de ne pas y entendre traîner les râpières des gentilshommes d'aventure, ou les éclats du verbe sonore des joyeux mousquetaires.

Il y a les bistrots plus ou moins célèbres perpétuant les bistrots d'autrefois, où autour des halles et des abattoirs, de solides gaillards se restauraient solidement par de gargantuesques repas.

Bons vivants et exigeants, ils appréciaient la nourriture copieuse et d'une qualité qui font encore la réputation du bistrot d'aujourd'hui.

Paris a aussi ses restaurants de cuisine étrangère, et certains sont réputés. C'est affaire de goût et, en la circonstance, il ne faut pas mépriser les joies d'un certain dépaysement. (...)

Terminons ces promenades gourmandes par ce haut lieu de la gastronomie parisienne qu'est le pourtour de La Madeleine. Vous trouverez là les plus succulents souvenirs gourmands de Paris, à emporter ou à faire expédier. Par eux, vous prolongerez chez vous ce plaisir de Paris qu'est le « bien manger ». (...)

Gourmandise est péché mignon, et si vous le commettez à Paris, il vous sera deux fois pardonné.

Situation 4 : « Qu'est-ce qu'on va boire avec ça ? »

Actes de communication courants

1

Le client	Vous avez la carte des vins ? Ah... Merci... Voyons un peu. Vins blancs... Champagnes... Ah ! Vins rouges.
Le maître d'hôtel	Nous avons en bordeaux un saint-émilion qui est très bien, Monsieur.
Le client	Oui, mais il faut le digérer ensuite. Vous n'avez pas quelque chose d'un peu moins généreux. Un petit vin de pays ?
Le maître d'hôtel	Si, Monsieur. Nous avons la réserve maison, ici. C'est un vin de propriétaire, très naturel et léger.
Le client	Très bien. Vous m'en donnerez une demi-bouteille.

Quel genre de vin cherche le client ? Que propose le maître d'hôtel d'abord ? De quelle partie de France ce vin vient-il ? Pourquoi le client n'en veut-il pas ? Comment décrirez-vous le vin de la réserve maison ? Où est-il récolté ?

Redites le dialogue. Faites varier :
— le type de vin que cherche le client,
— ce que propose le garçon (cf. carte, p. 92),
— la quantité commandée (bouteille, pichet, demi-pichet).

2

Le client	Et avec ça, qu'est-ce qu'on va boire ?
Le maître d'hôtel	Avec le saumon, vous allez prendre un blanc très sec, je pense, et si je peux me permettre, nous avons un muscadet que je vous conseille.
Le client	Va pour le muscadet. Mais ça ne va pas aller avec le bœuf. Ça ne vous fait rien de mélanger les vins, Messieurs ? Bah ! Les bons produits ne font pas mal. Mais alors un rouge léger. Pas un bourgogne, hein.
Le maître d'hôtel	Nous avons un très bon côtes-du-Rhône, ou un beaujolais de l'année qui vous conviendra, j'en suis sûr.
Le client	Nous vous faisons confiance. Votre choix est le nôtre.

Que conseille le maître d'hôtel avec le saumon ? Qu'est-ce qui va avec le bœuf ? Pourquoi le client hésite-t-il à prendre deux vins ? Pourquoi le maître d'hôtel propose-t-il les deux vins ?

Redites le dialogue. Utilisez le tableau, p. 92, pour varier les vins proposés.

3

La femme	Non, écoute, chéri, ce n'est pas raisonnable. Il fait chaud et tu vas conduire tout de suite après le repas. Sois gentil et fais-moi plaisir. Tu peux bien te passer de vin pour une fois.

Le mari	Bon, bon. Qu'est-ce que vous avez comme grands crus classés en eau minérale ?
Le maître d'hôtel	Eau plate ou gazeuse, Monsieur ?
Le mari	Gazeuse, ne nous refusons rien.
Le maître d'hôtel	J'ai vichy, ou badoit.
Le mari	Apportez-moi une vichy. Ce sera bon pour le foie.

 Pourquoi la dame demande-t-elle à son mari de ne pas boire de vin ? Le monsieur est-il content de ne boire que de l'eau ? Justifiez votre réponse.
Que pensez-vous de l'attitude du maître d'hôtel ?
Comment imaginez-vous : la dame ? le monsieur ? le maître d'hôtel ?

4 Ce vin a quelque chose qui ne va pas

Le maître d'hôtel	Si Monsieur veut bien goûter...
Le client	Hm... Dites-moi, il y a quelque chose qui ne va pas avec ce vin. Il a un goût de bouchon très net. Tenez. Goûtez.
Le maître d'hôtel	Pardon, Monsieur... L'odeur seule est significative. Excusez-nous, Monsieur. Je vous apporte tout de suite une autre bouteille.

Le client	Il est bon, très bon, même, mais pas assez frais.
Le maître d'hôtel	Nous venons juste de le monter de la cave et il n'est pas encore resté assez longtemps à la glace.
Le client	Laissez-le encore quelques minutes avant de servir. Je vous ferai signe.
Le maître d'hôtel	Bien, Monsieur.

Le client	Garçon, s'il vous plaît, prenez donc un verre et goûtez-moi ce vin. Il a un goût bizarre.
Le garçon	Je me permets de faire remarquer à Monsieur qu'il y avait une sauce au vinaigre très forte dans l'entrée que vous venez de manger. Ça change énormément le goût du vin. Mais je peux goûter si vous le désirez. On a parfois des surprises avec les vins nouveaux.
Le client	Vous avez peut-être raison. Je vais attendre un moment. Si ça ne va toujours pas, je vous rappelle.
Le garçon	A votre service, Monsieur.

 Imaginez des situations du même type et les dialogues correspondants.

Exercices

Les pronoms simples (5)

Comparez : Apportez-moi... *et :* Si je peux me permettre...

Ce que dit le client :	Ce que dira le garçon :
Téléphonez-nous... Écrivez-nous... Répondez-nous... Dépêchez-vous... Arrêtez-vous... Parlez-nous de...	Pouvez ⎰ vous Voulez ⎱ Est-ce que je peux vous demander de... nous téléphoner... nous écrire... nous répondre... vous dépêcher... vous arrêter... nous parler de...

Imaginez des situations où le client, ou le garçon, sont amenés à utiliser ces expressions et imaginez les réponses.

Les adjectifs des noms de pays (4)

On vous demande : Il vient des États-Unis ?
et vous répondez : Oui, il est Américain.
Puis on continue : Et elle, qui est-ce ?
: C'est une Américaine qui voyage avec lui.

1 Il vient du Maroc ?   4 Il vient du Canada ?
2 Il vient de Cuba ?   5 Il vient de Tunisie ?
3 Il vient d'Afrique ?   6 Il vient du Chili ? etc.

... avec les vins nouveaux...

Le nombre des noms (3)

Écrivez les expressions suivantes au pluriel :

un animal peureux - le travail habituel - un chou rouge - son beau bijou - un vaste local - notre nouveau bateau - un lieu propre - etc.

Votre choix est le nôtre.

La possession (2) pronoms : formes

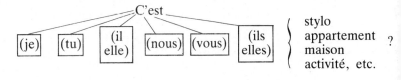

— Non, ce n'est pas ⎰ le ⎱ ...
⎱ la ⎰

Composez toutes les questions possibles et donnez les réponses.

Forme des verbes (1)

Complétez par écrit les phrases suivantes en mettant la forme correcte du verbe entre parenthèses.

1 Ils... en deux jours bien plus que nous... en une semaine. (acheter)
2 Vous... ces années-là comme je... les... ? (se rappeler)
3 Je... d'autant plus que vous ne... pas. (s'inquiéter)
4 C'est toujours nous qui... et eux, ils... bien rarement. (payer)
5 Nous... à peine alors que nous devrions avoir... depuis longtemps. (commencer)
6 Nous... avant les clients. (manger)

Votre savoir-faire

● Comment proposer les vins qui conviennent

Guide Buffet de France, Association des Buffets de France, Bordeaux.

l'accord des mets et des vins

On ne peut servir n'importe quel bon vin avec n'importe quel mets. Il se produit, en effet, au niveau du palais, des réactions chimiques très subtiles qui vont jusqu'à dénaturer les vins et leur donner un goût désagréable.

Principes

● Un vin doit souligner, en les complétant, les harmoniques gustuelles d'un mets.

● Un vin ne doit jamais faire regretter celui qui l'a précédé. C'est dire que la gamme doit toujours être montante, que ce soit en puissance ou en qualité.

● Les vins blancs secs doivent toujours être servis en premier.

● Les vins rouges jeunes doivent précéder les vins rouges vieux.

● D'une manière générale, les bordeaux rouges doivent précéder les bourgognes rouges.

● Les vins rosés ont la même vocation que les vins blancs secs.

● Les vins blancs liquoreux, s'ils sont servis en début de repas (foie gras), exigent, pour ne pas nuire aux vins suivants, la recommandation aux invités de boire, avant le service des vins rouges, une large rasade d'eau fraîche.

● Si l'on fait un repas complet au champagne, ce qui n'est pas une hérésie, il est recommandé de débuter avec un blanc de blancs, puis un champagne millésimé sur le gibier et les rôtis, enfin un champagne demi-sec au dessert.

1 Lisez et comprenez ce texte.   2 Choisissez des menus de votre pays.
3 Proposez les vins correspondants de votre pays ou d'ailleurs (cf. dial. 1-2 p. 88).

● Comment répondre à des reproches sur le vin

Vous pouvez vous trouver dans l'une des situations suivantes :

Reproche :	Excuse possible :	Ce que l'on fait :
Le vin est trouble.	Aucune.	On change la bouteille.
Dépôts (au fond de la bouteille).	Le vin est généreux.	On propose de décanter.
Goût de bouchon.	Le vin a mal vieilli.	(On sent ou on goûte) (et) on change la bouteille.
Goût acide.	Le client vient de manger citron, vinaigre ou moutarde.	On demande au client de goûter à nouveau après avoir mangé du pain ou bu de l'eau.
Goût de soufre.	Mauvais traitement du vin.	On vérifie et on change la bouteille.

Imaginez les conversations possibles entre vous-même et le client (cf. dial. 4, p. 89).

Les gaffes de Léon, sommelier

Pour aller plus loin

1 Les vins de France

En dehors des grands crus, il existe en maintes régions de France des vins locaux qui, bus sur place, vous réserveront d'heureuses surprises.

LES VINS et LES METS

Un mets préparé avec une sauce au vin s'accommode, si possible, du même vin.

Vins et fromages d'une même région s'associent souvent avec succès.

Voici quelques suggestions de vins selon les mets :

Vins blancs secs / Dry white wines / Vini bianchi secchi / Herber Weißwein		1	Muscadet, Pouilly-s-L., Sancerre, Vouvray sec
		2	Graves secs
		3	Chablis, Meursault, Pouilly-Fuissé, Viré
		4	Brut ou sec
		5	St-Péray, Hermitage
		6	Sylvaner, Riesling, Pinot
Vins rouges légers / Light red wines / Vini rossi leggeri / Leichter Rotwein		1	Bourgueil, Chinon
		2	Graves, Médoc
		3	Côte de Beaune, Mercurey, Beaujolais,...
		4	Brut ou sec (blanc)
		5	Tavel (rosé) , Côtes de Provence
		6	Pinot noir , Riesling (blanc)
Vins rouges corsés / Full bodied red wines / Vini rossi robusti / Kräftiger Rotwein		1	
		2	Pomerol, St-Émilion
		3	Chambertin, Côte-de-Nuits, Pommard,...
		4	Brut (blanc)
		5	Châteauneuf-du-Pape, Cornas, Côte-Rôtie
		6	
Vins de dessert / Sweet wines / Vini Liquorosi / Süßer Wein		1	Anjou
		2	Sauternes, Monbazillac
		3	
		4	Demi-sec
		5	Beaumes-de-V., Rivesaltes
		6	Muscat, Gewürztraminer (vins secs)

Alsace		1967	71	73	75	76									
Bordeaux	blancs (white) (bianchi) (weiße)	1945	47	49	53	55	61	62	67	70	71	75	78		
	rouges (claret) (rossi) (rote)	1945 73	47 75	49 76	53 78	55	61	62	64	66	67	70	71		
Bourgogne Burgundy Burgunder	blancs (white) (bianchi) (weiße)	1969	71	73	76	75 et 77 (Chablis) 78									
	rouges (red) (rossi) (rote)	1949	52	61	64	69	70	71	72	73	76	78			
Champagne		1964	66	69	70	71	73	75							
Côtes-du-Rhône		1961	64	66	67	69	70	71	72	76	77	78			
Vins de la Loire	Muscadet	1971	74	75	76	78									
	Anjou - Touraine	1947	49	53	55	59	69	71	75	76					
	Pouilly - Sancerre	1973	75	76	78										

Les meilleures années

The best vintages

Le migliori annate

Die besten Jahrgänge

2 Quelques aphorismes sur le vin

« Je ne connais de sérieux ici-bas que la culture de la vigne. » Voltaire (1694-1778).

« L'animal avale, l'homme boit, le gourmet déguste. »

« Quels que soient les parfums, ils sont ennemis du bon vin. »

« Le vin est la plus saine et la plus hygiénique des boissons quand il est bu avec modération. » Pasteur (1866)

« Pour apprécier un bon vin, il faut surtout ne pas fumer. »

« Le vigneron de race boit et ne s'avinote pas. » Balzac (1799-1850)

« La pénicilline guérit les humains, mais c'est le vin qui les rend heureux. »

Fleming (1881-1955)

3 Compréhension écrite

l'accord des mets et des vins

Règles pour éviter toute erreur

● Vins blancs secs jeunes avec les fruits de mer et les poissons grillés.

● Vins blancs secs vieux avec les entrées chaudes et les poissons en sauce.

● Vins de Bordeaux rouge avec le gibier de plume et les viandes légères.

● Vin rouge de Bourgogne avec le gibier de poil et les viandes rouges.

le service des vins

Il faut quatre ans pour qu'une vigne produise du raisin. Il faut douze ans pour qu'elle fasse un vin vraiment digne de son appellation.
Il faut encore cinq ans, souvent dix, pour qu'un grand vin atteigne sa plénitude.
Il faut quelques secondes, des gestes maladroits, une erreur de jugement, pour que le consommateur annihile tant de patience.
Une bonne bouteille doit être servie :
   ● à bonne température (voir plus loin)
   ● dans un verre adéquat, rempli avec modération
   ● avec le mets qui lui convient (voir plus loin)
   ● et, même, être choisie en fonction des hôtes que l'on veut traiter, par exemple : bourgogne pour les repas joyeux, pour les invités dont la moyenne d'âge est jeune, bordeaux pour les repas sérieux (repas d'affaires, noces d'argent).

Il ne s'agit là que d'indication, le choix étant affaire de psychologie et de goût personnel.
Préparation - Présentation - Température.
● Vins blancs secs jeunes : 6° à 8°, dans leur bouteille d'origine ou en carafe.
● Vins blancs secs vieux : température de la cave (12°), débouchage au moment de servir.

● Boire le vin qui a servi à la préparation de la sauce.
● Pour une bonne euphorie, ne pas trop dépasser trois vins au cours d'un même repas, par exemple :

bourgogne blanc, bordeaux rouge, champagne, ou bordeaux blanc, bourgogne rouge, vin de Loire liquoreux.

● Vins blancs moelleux et liquoreux : 4° à 6°, dans leur bouteille d'origine ou en carafe.

● Vins rouges jeunes : 8° à 10°, dans leur bouteille d'origine ou en carafe.

● Vins rouges vieux : bourgogne : température de la cave 12° ; bordeaux : légèrement chambrés, 16° à 18°

Les placer la veille dans la pièce où aura lieu le repas. La décantation est une opération trop délicate pour être pratiquée systématiquement. Elle ne s'impose réellement que lorsque les bouteilles présentent un dépôt.
Il est presque toujours dommageable de déboucher une vieille bouteille avant le repas. Mieux vaut attendre dans son verre l'éveil des parfums et du bouquet. Agiter le moins possible la bouteille lors du débouchage et la placer dans un panier verseur.
N'emplir les verres qu'aux 2/5.
● Vins doux naturels : les servir frais 8° à 10°
● Champagne, vins mousseux : température 4° à 6° Démousser un champagne est une insolence vis-à-vis de ceux qui se sont relayés pour réaliser la noblesse de la mousse. Il est plus séant d'avoir tout de suite recours à un vin blanc sec.

Guide Buffet de France, Association des Buffets de France, Bordeaux.

Situation 5 : « Et pour terminer, que désirez-vous ? »

Actes de communication courants

1 Les fromages

Le garçon	Prendrez-vous du fromage, Mesdames... Messieurs ?
Une cliente	Oui, j'en prendrai bien un peu, moi.
Le garçon	Qu'est-ce que je peux vous servir, Madame ? Gruyère ? Chèvre ? Cantal ? Un peu de chaque ?
La cliente	Qu'est-ce que c'est que celui-là, là-bas ?
Le garçon	Du Saint-Nectaire, Madame ? C'est un fromage du pays.
La cliente	Donnez-m'en un morceau, s'il vous plaît.
Le garçon	Comme ceci, Madame ? En désirez-vous un peu plus ?
La cliente	Non, ça ira comme ça. Merci.

2 Les desserts

La cliente	Hm... ! Quel chariot de pâtisseries !
Le garçon	Que désirez-vous, Madame ?
La cliente	Tout... mais ce n'est pas possible.
Le garçon	J'ai aussi des fruits, des glaces et des sorbets, Madame.
La cliente	Ah, non ! C'est bien assez comme ça ! Je vais me laisser tenter par ce gâteau, là-bas. Qu'est-ce que c'est ?
Le garçon	Un moka de la Reine de Saba. C'est une pâte à génoise fourrée de crème au beurre au café... Vous désirez autre chose, Madame ?
La cliente	Donnez-moi juste une petite part de cette tarte au citron, je vous prie.

Qu'est-ce que le garçon peut proposer comme pâtisserie ? Qu'est-ce qui n'est pas sur le chariot ? A votre avis, qu'est-ce qui est sur le chariot ?

Redites le dialogue ; changez le nom des gâteaux et la description correspondante.

Le client	J'ai bien envie de me laisser tenter par un soufflé au grand-marnier.
Le garçon	Je me permets de vous faire remarquer, Monsieur, qu'il y a vingt minutes d'attente.
Le client	Ah ! C'est vrai. J'oublie toujours pour les soufflés... Bon, mais je voudrais bien un dessert chaud.
Le garçon	Nous avons la tarte du Val d'Allier, Monsieur. C'est une tarte aux pommes, flambée à l'eau de vie, et servie chaude avec de la crème fraîche.

Que désire le client ? Pourquoi ne peut-il pas l'avoir ? Que propose le garçon ?

Pouvez-vous donner la recette de la tarte du Val d'Allier ?

3 Le tabac

Le client	Garçon, vous avez des cigarettes et des cigares ?
Le garçon	Non, Monsieur, pas au restaurant. Mais la jeune fille des vestiaires a un assortiment de tabac, cigarettes et cigares. Voulez-vous que je lui dise de venir ?
Le client	S'il vous plaît. Qu'elle apporte son panier.

4 Le café et les digestifs

Le garçon	Est-ce que vous prendrez du café ? Mesdames ? Messieurs ?
1er client	Oui, noir et bien serré pour moi.
Le garçon	Certainement, Monsieur.
1ere cliente	Pour moi, décaféiné. Vous en avez ?
Le garçon	Oui, Madame. Et pour Madame ?
2e cliente	Ni café-café, ni décaféiné.
2e client	Un café noir, mais vous m'apporterez un pot d'eau chaude à côté.
Le garçon	Bien, Monsieur.

Le client	Garçon, qu'est-ce que vous avez comme digestif ?
Le garçon	A peu près toute la gamme, Monsieur. Du sec ? du doux ?
La cliente	Ni l'un, ni l'autre, je pense. Sois raisonnable, chéri. Tu as déjà bu du vin et nous allons prendre la route.
Le client	Tu as raison. Apportez seulement les cafés et l'addition.

Les gaffes de Léon, serveur

Exercices

Oui, j'en prendrai
bien un peu.

Donnez-m'en
un morceau.

En désirez-vous
un peu plus ?

Le pronom En (5)

Vous demandez : Et de la <u>tarte</u> ? En <u>prendrez</u>-vous un peu ?
                                            a   b

et le client répond : Oui, j'en prendrai un $\begin{cases} \text{peu.} \\ \text{morceau.} \\ \quad c \end{cases}$

                ou : Donnez-m'en un $\begin{cases} \text{peu.} \\ \text{morceau.} \\ \quad c \end{cases}$

Utilisez : a fromage, ananas, crème, glace, etc.
b désirer, vouloir c tranche, boule, etc.

J'oublie toujours
pour les soufflés...

L'ordre des mots
dans la phrase
simple (4)

Mettez les phrases qui sont au présent, au passé composé, et inversement.

1 Ils voyagent souvent.	4 L'été finit déjà.
2 Ces couverts ont longtemps servi.	5 Ils arrivent juste.
3 Ces clients ne sourient jamais.	6 On a mal mangé dans ce restaurant.

Ni café-café,
ni décaféiné.
Ni l'un, ni l'autre.

Comparaison et
intensité (3)

Des clients parlent de ces restaurants :
Ex. : Nous n'allons jamais au restaurant
Le Vieux Moulin parce qu'il n'est ni pittoresque, ni confortable.

Nous n'allons jamais au restaurant
Les Peupliers parce que la nourriture n'est ni bon marché, ni bonne.

Nous allons souvent au restaurant
Les Grottes, parce qu'il est à la fois très calme et assez pittoresque.

Restaurant	calme	confor-table	agré-able	pitto-resque	nourriture		service	
					qualité	prix	rapide	stylé
Vieux Moulin	+++	+	+++	+	++	++	+	+
Les Peupliers	++	+++	+++	+++	+	+	+	+
Les Grottes	+++	+	+	++	+	+	+++	+++
Au Colombier	+	+	+	++	+++	+++	++	++

La forme des
verbes (2)

Complétez par écrit les phrases suivantes en mettant les formes correctes
des verbes entre parenthèses :

1 J'ai remarqué que les enfants ne... jamais tant que tu ne... pas. (s'asseoir)
2 Nous... tout ce que tu... (craindre)
3 Vous ne... jamais ce que nous... (faire)
4 Vous, vous... une chose et eux, ils en... une autre. (dire)
5 Ils... tous ce soir ? — Oui, et finalement nous... avec eux. (venir)
6 Oh ! Vous savez ! Eux, ils... bien tout ce que nous... (vouloir)

La construction
des verbes (1)

Faites des phrases avec des verbes au passé composé en utilisant :
s'apercevoir - s'arranger - s'arrêter - s'asseoir - se rendre compte
- se dépêcher - se mettre (à) - se plaindre - se servir.
Ex. : Les clients ne se sont pas aperçus que la viande était trop cuite

Votre savoir-faire

• Comment proposer des fromages

Un fromage peut-être
$\begin{cases} \text{blanc.} \\ \text{frais/sec.} \\ \text{bleu.} \\ \text{fermenté / non fermenté.} \\ \text{fait / pas fait, ferme.} \\ \text{jeune / vieux.} \\ \text{de vache, de chèvre, de brebis,} \\ \text{mi-chèvre, etc.} \end{cases}$

Imaginez un plateau de fromages de votre pays, ou de fromages souvent servis dans votre pays. Décrivez-les.
Vous proposez ces fromages à des clients français (cf. dial. 1, p. 94).

• Comment proposer les desserts

Qu'est-ce que c'est que ce gâteau ? — C'est...
Qu'est-ce qu'il y a dedans ? — C'est...

Vous avez des fruits cuits ? — Oui, $\begin{cases} \text{Madame,} \\ \text{Monsieur,} \end{cases}$ des...

Donnez-moi un peu de... et des...

Quels parfums, vos $\begin{cases} \text{glaces} \\ \text{sorbets} \end{cases}$?   — Vanille, chocolat, café, fraise, etc.
Cassis, fraise, poire, etc.

1 Imaginez ce que vous pouvez offrir comme dessert de votre pays et composez votre chariot de pâtisseries.
2 En vous inspirant des dialogues 2 et en utilisant les répliques ci-dessus, proposez les desserts à un groupe de clients français.

• Comment répondre si on vous demande des cigarettes ?

Questions	Garçon, vous avez	des cigarettes	(non) mentholées brunes blondes	?
			avec sans filtre	
		des $\begin{cases} \text{Camel} \\ \text{Gitanes, etc.} \end{cases}$	en $\begin{cases} \text{cigarettes longues} \\ \text{taille ordinaire} \end{cases}$	
		du tabac pour la pipe ?		
Réponses	Je vais voir s'il en reste, $\begin{cases} \text{Monsieur.} \\ \text{Madame.} \end{cases}$			
	Nous n'en avons plus, $\begin{cases} \text{Monsieur,} \\ \text{Madame,} \end{cases}$ mais vous en trouverez facilement en ville.			
	Je regrette, $\begin{cases} \text{Monsieur,} \\ \text{Madame,} \end{cases}$ mais nous n'en avons plus.			
	Je vais vérifier, $\begin{cases} \text{Monsieur,} \\ \text{Madame,} \end{cases}$ mais nous en avons certainement. Etc.			

Pour aller plus loin

1 Les fromages français

Voici un plateau de fromages français :

Il comporte les six fromages suivants :
1 Roquefort (brebis ; à moisissures)
2 Gruyère (vache ; à trous)
3 Cantal (vache ; pâte frissée)
4 Camembert (vache ; fermenté)
5 Pelardon (chèvre ; petit et sec)
6 Vache (très plat). Identifiez-les.

2 Compréhension écrite

La fromagerie, Paris

3 Compréhension orale

Cigarettes et cigares

« Zut ! J'ai laissé mes cigarettes à l'hôtel. Tu en as sur toi, Jacques ?
— Tu sais bien que je ne fume plus.
— Vous vendez des cigarettes, garçon ?
— Brunes ou blondes, Madame ?
— Blondes, américaines, avec filtre et éventuellement mentho-
lées.
— Nous n'avons pas de cigarettes mentholées, Madame. Nous
avons en général des Dunhill et des Peter Stuyvesant, en
cigarettes longues...
— Et des Camel, en taille ordinaire ?
— Je ne sais pas, Madame. Je vais voir s'il en reste. »

 Quels sont les personnages ?
Décrivez très exactement le type de cigarettes que fume la dame.

« Bonsoir, Madame ; bonsoir, Messieurs. Vous désirez des
cigares, Messieurs ?
— Non, c'est seulement moi.
— Tu devrais prendre exemple sur Jean-Paul ; il se contente d'une
cigarette, lui.
— Bah ! Un bon cigare, ce n'est pas plus dangereux, et au moins,
on ne fume pas de papier. Qu'est-ce que vous avez ?
— En cigarillos, j'ai des Robert Burns, des Willem II...
— Et en cigares ? Vous avez des Upmann ?
— Oui, Monsieur. Des El Prado.
— Parfait. Donnez-m'en un.
— Tu pourrais te contenter d'un cigarillo au lieu d'un gros machin
comme ça...
— Voici, Monsieur. Voulez-vous que je vous le prépare ?
— Non, merci. Mais je n'ai pas de coupe-cigare. Vous avez ça ?
— Certainement, Monsieur. Voici. Je vous laisse faire... Excusez-
moi, Monsieur, mais est-ce que je peux vous demander de régler
directement ? C'est une caisse différente de celle du restaurant.
— Bien sûr, Mademoiselle. Je vous dois combien ? »

 Combien de personnes parlent ? Qui sont-elles ? Comment les
imaginez-vous ? Qui prépare le cigare ? avec quoi ? Le cigare est-
il payé avec le repas ? Pourquoi ?

Chapitre 3 : L'addition et le départ

Situation 1 : « Garçon ! L'addition, s'il vous plaît. »

Actes de communication courants

1

« Garçon, l'addition, s'il vous plaît.
— Tout de suite, Monsieur... Voilà, Monsieur.
— Le service est compris ?
— Oui, Monsieur.
— Voilà. Gardez tout.
— Merci, Monsieur. »

 Que fait le garçon lorsqu'il dit : « Tout de suite, Monsieur... », « Voilà, Monsieur... » et « Merci, Monsieur » ?

Le client laisse-t-il un pourboire ? Qu'est-ce qui vous le montre ?

Buffet de la Gare S. N. C. F.

M. et Mme GORSSE — Concessionnaires
63100 CLERMONT FERRAND - ☎ (73) 91.36.42
SIRET 865 105 472 00019

IMP. SIMAN CLERMONT FD

	CODES		Date N° Ordre	CODES	MONTANT
1					
2	1	AUTOUR D'UN PLAT			
3	2 à 8	MENUS			
4	9	CRUDITÉS		···2X★★···24.00@	
	10	CHARCUTERIE		····★08···4800	
5	11	POISSON	目25目	····E03···4800 SV	
	12	HUITRES			
6	13	ŒUFS			
7	14	SPÉCIALITÉS			
	15	LÉGUMES			
8	16	VIANDES			
9	17	ENTRÉES CHAUDES			
	18	CHOUCROUTE			
10	19	FOIE GRAS			
11	20	SAUMON FUMÉ			
	21	SUPPLÉMENTS			
12	22	DESSERTS			
13	23	FROMAGES			
	24	PLATS DU JOUR			
14	25	SODAS			
	26	TONIC			
15	27	CHAMPAGNES			
16	28-29	EAUX MINÉRALES			
	30-31-32	VINS			
17	33	JUS DE FRUITS			
18	34	BIÈRE PRESSION			
	35	BIÈRE BOUTEILLE			
19	37	APÉRITIFS			
20	38	DIGESTIFS			
	39	INFUSIONS			
21	40	CAFÉ			

2

« Garçon, regardez donc de plus près...
— Qu'est-ce que c'est cette ligne ici ?
— Je vais voir, Monsieur... Pardon.
— Nous avons pris trois menus à 38 francs, ça fait bien cent quatorze francs, plus le vin, dix-huit francs. Mais ces six francs, qu'est-ce que c'est ? Ça ne correspond à rien.
— Vous n'avez pas demandé un légume différent de la garniture normale prévue avec la viande ?
— Si, peut-être ; j'ai pris des endives au lieu des pommes frites.
— C'est cela, Monsieur. Tout changement de garniture est compté en supplément. Voyez, c'est indiqué ici sur le menu.
— Bon, bon. »

Combien y a-t-il de clients? Quel menu ont-ils pris? Quelles explications le client demande-t-il? Pourquoi doit-il payer un supplément? Quel légume a-t-il mangé? au lieu de quoi? Était-il prévenu?

Redites le dialogue. Faites varier : le prix du menu, le prix du vin, les légumes.

Le client	Garçon, venez ici. Je crois que vous voulez me faire trop payer.
Le garçon	C'est possible, Monsieur, mais alors, c'est involontaire, et je m'en excuse.
Le client	Regardez ici. Ces quinze francs, trois fois cinq, qu'est-ce que c'est?
Le garçon	Pardon. Je vérifie. Entrées... viandes... dessert... boisson... Ce doit être des salades.
Le client	C'est bien ce que je pensais. Mais vous savez que finalement nous n'avons pris aucune des trois salades.
Le garçon	C'est exact, Monsieur, mais elles n'ont pas été barrées sur la fiche. Excusez-moi. Je fais rectifier tout de suite.
Le client	Ce n'est rien. Ça arrive à tout le monde.

Qu'est-ce qui a été commandé? Qu'est-ce qui a été mangé? Qu'a oublié de faire le garçon? Que s'est-il passé?

Redites le dialogue. Faites varier : le montant de la somme, le plat qui n'a pas été pris.

3 Le mode de paiement

La cliente	Est-ce qu'on peut payer en devises étrangères?
Le garçon	Je suis désolé, mais je crains que nous ne puissions pas accepter l'argent étranger, Madame.
La cliente	Et la *Carte Bleue Internationale,* ou les *Eurochèques,* vous acceptez?
Le garçon	Certainement, Madame. La *Carte Bleue* de préférence... Merci, Madame. Est-ce que je peux vous demander votre carte d'identité ou votre passeport? Merci, Madame. Je vous la rapporte avec la fiche à signer.

La dame a-t-elle de l'argent du pays? Comment peut-elle payer? Que refuse le garçon? Que préfère-t-il? Qu'est-ce que la dame a donné au garçon? carte d'identité? passeport?

Exercices

Finalement nous n'avons pris aucune des trois salades.

Les diverses formes de négation (5) : Ne... aucun

Transformez suivant le modèle :

Je n'aime aucun légume. → Des légumes ? Je n'en aime aucun.

1 Le patron ne fait aucune concession.
2 Ils n'ont fait aucune critique sur la cuisine.
3 Je ne me suis fait aucune illusion à aucun moment.
4 Ce restaurant ne fait aucune réservation.
5 Les clients n'ont fait aucune difficulté pour partir à minuit.
6 Nous n'avons aucune serveuse dans la maison.

Le mode de paiement. La mode de Paris.

Le genre des noms (4) : noms à double genre

Faites des phrases en employant les mots suivants :

le livre / la livre - le manche / la manche - le voile / la voile - le vase / la vase - le garde / la garde - le mode / la mode.

Est-ce que je peux vous demander votre carte d'identité ou votre passeport ?

Les possessifs (3) : accord

Faites autant de phrases que possible en combinant les possibilités dans les deux répliques ci-dessous :

Croyez-vous que { (je) (tu) (il, elle) (nous) (vous) (ils, elles) } { projet proposition idées plans } { ait aient } des chances de plaire ?

— Je ne sais pas, mais je pense que { le la les } { (je) (tu) (il, elle) (nous) (vous) (ils, elles) } par contre, { n'a n'ont } aucune chance.

Ça arrive à tout le monde.

La construction des verbes (2) : complément d'objet indirect

Expliquez la différence de sens entre les paires de phrases suivantes :

1 Nous arrivons au restaurant. / Nous arrivons du restaurant.
2 Le patron répond à cet employé. / Le patron répond de cet employé.
3 Tous les clients se plaignent au maître d'hôtel. / Tous les clients se plaignent du maître d'hôtel.
4 C'est le monsieur qui parle à la serveuse. / C'est le monsieur qui parle de la serveuse.
5 Il tient beaucoup à son père. / Il tient beaucoup de son père.
6 Cette cliente ne sourit jamais à un garçon. / Cette cliente ne sourit jamais d'un garçon.

Je crains que nous ne puissions pas accepter l'argent étranger, Madame.

Le verbe : formes particulières (1) Subjonctif

On vous demande : Tu viens avec nous faire un tour ?
Et vous répondez : Non, il faut que je finisse de servir.
Que répondez-vous si vous devez :

1 faire l'argenterie   2 desservir   3 mettre le couvert
4 écrire à vos parents   5 partir seulement plus tard
6 tenir la caisse   7 éteindre quand tout le monde sera parti
etc.

Votre savoir-faire

• Comment compter en français (2)

Vous présentez à un client l'une des notes ci-dessous. Il vous fait remarquer qu'il y a une erreur. Vous recomptez à haute voix, corrigez l'erreur et vous en excusez.

Restaurant FLORIDA	**Auberge des Flots Bleus**	**LE MAS PROVENÇAL**
Table N° **4**	Table N° **26**	Table N° **9**
3 menus à 36^F 118	6 huîtres 18	4 bouillabaisses 210
1 eau 4	1/2 langouste 62	à 55 F
1 réserve maison 13	fromage 7	4 salades à 7 F 24
3 cafés à 2^F 6	dessert 13	2 Rosés de Provence
———	1/2 muscadet 14	à 17 F 36
141	café 3	4 cafés à 3 F 12
	———	———
	129	282 F

Alors, trois menus à trente-six, ça fait... 3 fois 6, 18, je pose 8 et je retiens 1. 3 fois 3, 9 et 1, 10. Cent huit. Excusez-nous, Monsieur. En effet, nous avons fait une erreur. Je continue... Etc.

• Comment répondre à des observations ou demandes de précisions

	Le client se demande pourquoi	De votre côté, vous faites remarquer que
1	on a compté du vin pour une personne, pas pour l'autre.	le vin est compris dans le menu à 28 francs, pas dans celui à 32.
2	le dessert doit être payé en plus du menu.	les sorbets ne sont pas dans le menu et constituent un supplément.
3	le vin est compté en supplément alors qu'il est compris dans le menu.	seul est compris 1/4 de litre ; le client en a bu 1/2.
4	le fromage est compté en supplément.	le menu porte : fromage ou dessert ; le client a pris fromage et dessert.
5	la choucroute est comptée 42 francs alors qu'elle est à 38 francs sur la carte.	à 38 francs, c'est la « choucroute paysanne » ; c'est une « choucroute royale » qui a été servie.

Imaginez les divers dialogues et utilisez toutes les formes de politesse voulues.

Les gaffes de Léon, caissier

Pour aller plus loin

1 Compréhension écrite   *Le personnel du restaurant*

a) *La brigade du restaurant*

Cette expression désigne l'ensemble du personnel de la salle à manger. Seuls les restaurants de grande classe ont à leur disposition une brigade complète.

I. HIÉRARCHIE ET TACHES

Voici, dans l'ordre, les fonctions attribuées au personnel :

Directeur de restaurant : il assure la réception des clients, dirige la salle à manger et l'office.

Premier Maître d'hôtel : il remplace le directeur de restaurant pendant son absence et s'occupe de tous les **tableaux de service.** Exceptionnellement, pendant le repas, il a la responsabilité des tables où se trouvent des clients qui doivent faire l'objet d'une attention particulière.

Maître d'hôtel de carré, responsable d'un ensemble portant le nom de « carré » (généralement trois rangs, soit de 15 à 25 tables). Il doit également prendre les commandes et s'occuper des découpages et des flambages.

Sommelier, spécialement chargé du service des vins et liqueurs.

LA BRIGADE DU RESTAURANT

DIRECTEUR   MAITRE
DE   D'HOTEL
RESTAURANT DE CARRÉ
▼   ▼

▲COMMISE   COMMIS ▲

▲ SOMMELIER

CHEF DE RANG ▲

Trancheur, chef du buffet froid, il procède à la tranche des viandes froides. Au restaurant, il tranche également « à la voiture » la viande chaude figurant au plat du jour.

Chef de rang : il s'occupe d'un service de plusieurs tables qui constituent « le rang ». Le nombre des tables varie de 5 à 9 suivant la qualité du service.

Garçon de restaurant (ou ¹/² chef de rang) : aspirant chef de rang à qui l'on confie seulement de 3 à 5 tables.

Commis de suite, qui assurent la liaison entre la salle à manger et la cuisine, débarrassant le matériel sale vers l'office et apportant les plats de la cuisine. Ils peuvent également aider le chef de rang à servir ou à débarrasser.

Commis débarrasseurs, qui sont chargés de libérer les tables de service. Un jeune employé débutant commence par cette première étape.

Remarque : Le nombre des postes varie avec la classe de l'hôtel, et celui des personnes affectées à chaque poste avec l'importance de la clientèle.

Peu nombreux sont les établissements où la brigade complète existe encore. Dans les autres, de faible importance, la brigade comprend seulement un Maître d'hôtel ou le patron, des garçons ou des serveuses, des commis.

b) *Qualités requises pour le personnel du restaurant*

I. QUALITÉS PHYSIQUES

Une certaine robustesse à cause de la station debout prolongée.
Taille normale, prestance, adresse, aisance du geste, et même élégance.

II. QUALITÉS INTELLECTUELLES

Niveau d'études suffisant et bonne connaissance d'une ou deux langues dont l'anglais.
Très bonne mémoire qui permet de retenir les noms et de reconnaître les clients.
Correction du langage et facilité d'expression.

III. QUALITÉS MORALES

Amour du travail et de l'ordre.
Maîtrise de soi et discipline.
Politesse, correction, amabilité.
Volonté et persévérance.

IV. QUALITÉS PROFESSIONNELLES

Sobriété.
Probité.
Excellente présentation corporelle : visage soigné, coiffure nette et classique, ongles très propres.
Tenue vestimentaire irréprochable, souliers parfaitement cirés, veste blanche impeccable.

Ph. Mazzetti, M.-L. Francillon et J.-J. Guilleminot, *Technologie du restaurant*, J. Lanore.

2 Expression orale

a) Vous parlez avec un collègue francophone de l'organisation des restaurants dans votre pays. A partir de l'exemple de quelques restaurants que vous connaissez, vous décrivez le type de personnel que l'on peut trouver et vous comparez à ce qui se passe en France.

b) Étudiez le paragraphe 1 b) ci-dessus, puis faites le portrait de l'employé-type d'après les Français. Est-ce que ceci correspond à ce que l'on attend dans votre pays ? Comparez.

Situation 2 : « *Nous espérons avoir le plaisir de vous revoir.* »

Actes de communication courants

1

Le garçon	Voici, Monsieur, en vous remerciant.
Le client	Vous ne m'avez pas rapporté la note ?
Le garçon	Non, Monsieur. La maison doit la garder pour sa comptabilité.
Le client	Mais enfin, vous pourriez avoir des doubles. C'est quand même ennuyeux. J'ai besoin de cette note.
Le garçon	Je vais vous faire un reçu pour un repas avec le prix que vous avez payé.
Le client	S'il vous plaît.

Pourquoi pensez-vous que le client a besoin de la note ? Pourquoi le garçon ne peut-il pas la lui donner ? Le client est-il content ? Justifiez votre réponse. Que pensez-vous de la façon de procéder du restaurant ?

2

Le client	S'il vous plaît !
Le garçon	Oui, Monsieur.
Le client	Vous pouvez m'appeler un taxi ?
Le garçon	Bien sûr, Monsieur. Mais à cette heure-ci, vous aurez sans doute à attendre un petit moment. C'est l'heure creuse et il n'y a pas beaucoup de taxis dans le quartier. J'ai peur que vous ayez vraiment à attendre.
Le client	Ça ne fait rien. Appelez-le tout de suite. Je vais l'attendre dans l'entrée.

Pourquoi le taxi ne sera-t-il pas là tout de suite ? Que va faire le client ?

Redites le dialogue : donnez une autre raison pour le retard du taxi ; le client a peur de trop attendre et dit de ne pas commander le taxi.

3

« Je vous prends une carte du restaurant.
— Je vous en prie, Madame, en voulez-vous plusieurs ?
— Non, merci. Une, ça ira.
— Si vous permettez, Madame. On vient de nous changer le numéro de téléphone. Je vais inscrire le nouveau. Voilà... Merci, Madame. »

4 Au vestiaire

La cliente	Je peux avoir mon vestiaire, je vous prie ?
Le garçon	J'appelle tout de suite la personne du vestiaire, Madame.
La cliente	Le vestiaire est vers la sortie ?
Le garçon	Oui, Madame, juste derrière la caisse.
La cliente	Alors, ne bougez pas, je vais le prendre en sortant.

Qui parle ? Que propose le garçon ? Quelle question lui est posée ? Où se trouve le vestiaire ? Que va faire la cliente ?

Redites le dialogue. Variez l'emplacement du vestiaire.

Le client	J'avais un pardessus marron et un parapluie.
L'employée	Je ne vous ai pas donné de ticket à votre arrivée, Monsieur ? Il me semble que si.
Le client	C'est possible. Mais où est-ce que je l'ai mis ! Ah, le voilà. Voici, Mademoiselle.
L'employée	Merci, Monsieur... Voilà le manteau, et voilà le parapluie... Merci beaucoup, Monsieur.

Que fait la personne du vestiaire entre : « Merci, Monsieur » et « Voilà le manteau » ? Que fait le client lorsqu'il dit : « Mais où est-ce que je l'ai mis ! Ah ! le voilà » et avant que l'employée dise : « Merci beaucoup, Monsieur » ?

5

Le maître d'hôtel	Au revoir, Monsieur. J'espère que vous avez été satisfait.
Le client	Le service a été bien long. Ça n'en finissait plus, à un moment donné.
Le maître d'hôtel	Je m'en excuse, Monsieur, mais au dernier moment un garçon n'a pas pu venir travailler. Nous n'avons pas pu le remplacer, et comme toujours dans ces cas-là, nous avons eu beaucoup de monde. Je regrette, Monsieur, si vous avez dû attendre un petit peu.
Le client	Oh, ce n'est pas grave. Ça ne m'empêchera pas de revenir.
Le maître d'hôtel	Nous serons toujours très heureux de vous accueillir, Monsieur.

De quoi se plaint le client ? Est-il vraiment très fâché ? Justifiez votre réponse. Pourquoi le service a-t-il été plus long que d'habitude ?

Exercices

*... avec le prix
que vous avez payé.*

Les pronoms relatifs
simples (5) : synthèse

Combinez les éléments des colonnes 1, 2, 3 et 4 de façon à obtenir
six phrases ayant un sens. Vous devez utiliser tous les éléments,
mais une seule fois.

1	2	3	4
La salle		donne sur l'arrière	n'était plus au menu.
Le plat	dont	il est si fier	n'était pas la meilleure.
Les vins	où	nous sert	était plein à craquer.
Le garçon	qui	nous sommes entrés	est bien plus agréable.
La table	que	tu nous avais parlé	est ancien dans la maison.
Le 1ᵉʳ restaurant		le patron nous avait réservée	ne m'a pas emballé.

*Vous pourriez avoir
des doubles.*

Le nombre (4) :
l'article partitif

Regardez les recettes de la page 85 et dites quels produits sont nécessaires :
Ex. : Il faut des œufs, du vinaigre, etc.

*Le service a été
bien long.*

La forme des verbes
(3) : passé composé

Mettez les phrases suivantes au passé composé :

1 Les clients arrivent tôt.
2 Les garçons changent les nappes.
3 Ils entrent tous ensemble.
4 Le patron descend à la cave.
5 Les commis desservent.
6 Ce restaurant devient célèbre.
7 Le maître d'hôtel affiche le menu.
8 Ces personnes restent long-temps à table. Etc.

*J'ai peur que
vous ayez à attendre.*

Le verbe, formes
particulières (2) :
le subjonctif

a) *Reprenez l'exercice du bas de la page 102. Vous répondez au nom de
votre collègue et au vôtre.*

Ex. : Vous venez avec nous faire un tour ?
→ Non, il faut que nous finissions de servir.

b) *Un de vos collègues vous dit :* Le patron veut que je reçoive ce
fournisseur.
  et vous répondez : Il veut que nous le recevions aussi,

Que répondez-vous si votre collègue vous dit :
Le patron veut que je vienne travailler dimanche.
  j'aille servir dans son autre restaurant.
  je ne boive plus.
  je tienne le bar.
  je devienne maître d'hôtel.
  je comprenne comment marche le restaurant.

un reçu pour un repas

Les expansions de la
phrase simple (1) :
le complément de nom

Faites six expressions ; utilisez tous les éléments une seule fois.

une faute, un meuble, un repas, un menu, une précaution, une sauce	de, pour, en d', par, à	prudence, fête, inattention, métal, la moutarde, enfants

Votre savoir-faire   ● Comment répondre aux objections

En quittant le restaurant, un(e) client(e) vous fait les remarques ci-dessous. Que pouvez-vous répondre ? En vous inspirant du dialogue 5 p. 107, imaginez les dialogues.

Ce que reproche le client :	L'excuse que vous pouvez donner :
Le service a été long.	Un garçon n'a pas pu venir prendre son service ; il n'a pas pu être remplacé.
La table était mal placée.	Pour le déjeuner du samedi, il est prudent de réserver. Toutefois vous êtes content d'avoir pu accueillir le client ; vous espérez pouvoir faire mieux une prochaine fois.
La viande était plus que ferme.	Votre boucher habituel est en congé ; il fallait signaler tout de suite que la viande était dure ; on pouvait la changer.
La table à côté était très bruyante, avec des enfants très remuants.	Le dimanche à midi, il y a toujours beaucoup de monde et souvent des enfants. C'est plus calme en semaine. Vous regrettez.
Il n'a pas pu avoir de saumon à l'oseille, la spécialité de la maison.	Le fournisseur n'a pas pu livrer et il y a eu une grosse demande des premiers clients et, en effet, pour les derniers clients arrivés, il n'a pas été possible de satisfaire la demande.

● **Comment saluer des clients au départ**

midi { Au revoir, { Madame. } J'espère que vous avez été satisfaits.
Bonne journée, } Monsieur. { Nous avons été heureux de vous accueillir.
Mesdames[1] { Nous serons heureux de vous accueillir bientôt.
soir { Bonsoir, { Messieurs[1] } Etc.
Bonne soirée.

Que direz-vous s'il y a : 1   2   3   4   5   6   7   8

et si vous êtes   *a)* après le déjeuner,   *b)* après le dîner.

1 Lorsqu'il y a des messieurs et des dames : répétez la salutation « Au revoir (etc.), Mesdames ; au revoir (etc.), Messieurs ».

Les gaffes de Léon, garçon de vestiaire

Pour aller plus loin

1 Expression orale

Imaginez les dialogues correspondant aux scènes de ces deux pages.

	1	
2		
3	4	
5		

2 Traduction

Traduisez dans votre langue :

1 Nous choisissons très souvent les plats auxquels nous sommes habitués dans ce restaurant, et des vins dont nous savons qu'ils ne nous feront pas mal.

2 Je n'aime pas du tout la route par laquelle nous sommes arrivés ; je préfère celle que nous avons prise la dernière fois pour rentrer.

3 La forêt par laquelle on passe devient de plus en plus sale et déplaisante ; ils ne ramassent même plus les ordures que les gens laissent partout.

4 Vous avez apporté la recette pour laquelle vous m'avez demandé d'acheter toutes sortes d'aromates, que j'ai eu beaucoup de mal à trouver, d'ailleurs ?

5 Le restaurant d'où vient ce maître d'hôtel a une solide réputation, dont on ne peut pas douter.

6 Le client auquel vous avez apporté l'addition n'a pas l'air d'accord et vous appelle d'un air qui fait penser qu'il va y avoir discussion.

7 Les affaires, à propos desquelles je l'ai rencontré, et auxquelles nous avons déjà consacré beaucoup de temps ne sont toujours pas réglées.

8 Je lui ai expliqué toutes les difficultés auxquelles nous devrons faire face et qui, malheureusement, ne diminueront certainement pas dans l'avenir.

9 Laquelle de ces deux tables préférez-vous, Monsieur ? Voulez-vous celle qui est la plus proche de la fenêtre ? Ou bien celle que ce client vient juste de quitter ?

Touristix mène l'enquête (suite de la page 56 ; à suivre, page 150)

Partie 3

Dans les autres services

Chapitre 1 : Au bar

Situation 1 : « Que désirez-vous, Madame ? Que désirez-vous, Monsieur ? »

Actes de communication courants

1 Au comptoir

M. René	Bonsoir, Manuel. Quel monde il y a ce soir ! Pas moyen d'avoir un tabouret.
Manuel	Bonsoir, Monsieur René. Vous savez, c'est en général le samedi soir qu'il y a le plus de monde. Mais je crois que les messieurs, là-bas, vont aller au restaurant. Si vous pouvez attendre un instant, vous ne resterez pas longtemps debout. Un whisky, comme d'habitude ? Un chivas ?
M. René	Non, donnez-moi plutôt un bourbon.

Comment s'appelle le garçon ? le client ? Est-ce son nom ? son prénom ? Est-ce que Monsieur René et le garçon se connaissent bien ? Qu'est-ce qui le montre ? Que sert Manuel à Monsieur René tous les soirs ? Et ce soir ?

Redites le dialogue. Changez : le jour de la semaine, la raison pour laquelle une place va être libre.

Le barman	Bonsoir, Madame ; bonsoir, Monsieur.
Le client	Un américano et un vermouth blanc, un vrai d'Italie, s'il vous plaît.
Le barman	Certainement, Monsieur, tout de suite... Un américano et un vermouth blanc. L'américano est pour Madame ?
La cliente	Oui.
Le barman	Voilà. Un américano pour Madame et un vermouth blanc pour Monsieur.

2 Faire payer

La cliente	Garçon, s'il vous plaît.
Le garçon	Oui, Madame.
La cliente	Je vous dois combien ? Nous avons deux portos.
Le garçon	Pardon... Vous avez la fiche, là.
La cliente	Ah, oui... Voilà. Ça va comme ça.
Le garçon	Merci, Madame. Au revoir, Mesdames.

Un client	Tenez, garçon. Payez-vous.
Manuel	Vous n'auriez pas la monnaie, s'il vous plaît, ou un billet moins gros. Je viens de changer plusieurs gros billets...
Le client	Attendez... Ça fait combien ? Tenez, voilà un billet de 50...
Manuel	Merci, Monsieur. Alors, nous disons 27... 28, 29, 30 et 20, cinquante. Voici, Monsieur.
Le client	Tenez, voilà pour vous.
Manuel	Merci, Monsieur. Au revoir, Monsieur. Bonne soirée.
M. René	Au revoir, Manuel.
Manuel	Bonsoir, Monsieur René. A demain.

 Que demande Manuel ? Pourquoi ? Quel est le prix des consommations ? le montant du billet ? Comment Manuel dit-il au revoir aux clients ? à M. René ? Pourquoi cette différence ?

| Un client | Garçon, s'il vous plaît. Tenez... Le service est compris ? |
| *Le barman* | Oui, Monsieur... Voilà, Monsieur... Merci, Monsieur... Je crois que Madame avait un manteau, et vous également, Monsieur. Je vais les chercher... Voici, Madame... Voici, Monsieur... Je vous remercie, Monsieur. Bonne journée, Mesdames, bonne journée, Messieurs. |

 Que fait le garçon lorsqu'il dit : « Voilà, Monsieur » ? « Merci, Monsieur » ? « Voici, Madame... Voici, Monsieur » ? « Je vous remercie, Monsieur » ? A quel(s) moment(s) de la journée la scène peut-elle se passer ? Que dirait le garçon s'il était sept ou huit heures du soir ?

Les gaffes de Léon, barman

Exercices

Un vermouth d'Italie → un vermouth italien.

On vous demande : Vous aimez la cuisine de Russie ?
et vous répondez : Oui, j'aime beaucoup la cuisine russe.

1 Vous aimez la bière
de Belgique ?
2 Vous aimez les fromages
de Suisse ?
3 Vous aimez les vins
de Hongrie ?

4 Vous aimez les plats
de Suède ?
5 Vous aimez le café du brésil ?
6 Vous aimez les alcools
d'Espagne ? Etc.

Marquez l'intensité et l'insistance dans les paires de phrases ci-dessous :
1 Vous avez une belle maison. La maison de leurs parents est très
belle.
2 Vous avez vu un beau spectacle. Les plus grands artistes passent
au casino (2 formes).
3 Il a fait un temps magnifique. Les touristes ont apprécié le temps
très sec de cet été (2 formes).
Etc.

Faites au moins six phrases en utilisant tous les éléments.

| Le garçon
Votre ami

M. René
Manuel
Le client
Le nouveau
patron | préfère
a présenté

a chargé
a entouré
a appris
apporte | le vermouth
blanc
la salle
M. René
la nouvelle
le barman
l'addition | à

de | un nouveau
client
sa femme.
banquettes.
ce message.
la table
au fond.
l'américano. |

Complétez les phrases suivantes avec des prépositions.
1 Nous manquons de verres ... liqueur. (2 possibilités)
2 Donnez-moi un verre ... eau avec ma glace.
3 Ce meuble est tout ... métal.
4 Nous avons à présent des pièces ... deux francs.
5 Je pense conclure l'affaire ... quinze jours. (plusieurs
possibilités)
6 Il gagne environ 3 500 à 4 000 francs ... mois.

Si le temps est beau, nous aurons beaucoup de clients.
Si les clients s'en vont, nous fermerons de bonne heure, etc.

Continuez à faire des phrases sur le même modèle.

Votre savoir-faire

● Comment proposer une boisson à un client

Madame, Monsieur, ⎱ désirez-vous...?
Mesdames, Messieurs, ⎰ est-ce que vous désirez...?

En utilisant les vignettes de la p. 61, un élève donne le numéro de l'un des dessins. Par exemple « 7 ». Un autre élève fait alors une proposition correspondante, par exemple : Mesdames, désirez-vous un américano? Monsieur, désirez-vous un chivas?

a) On demandera aux clients s'ils veulent : un digestif, une boisson rafraîchissante, un alcool, un jus d'orange, un jus d'ananas, une bière, etc.

b) Puis on reprend l'exercice et un troisième élève répond : Non, pas de ... je préfère ...

c) Même exercice en demandant au (à la) client(e) s'il (si elle) veut :

son whisky	avec	glace	son bourbon avec de l'eau	gazeuse	une bière	blonde
		soda				
	sans	Perrier		plate		brune

● Comment recevoir et exécuter un ordre

a) Mémorisez la première partie du dialogue 1.

b) Redites-le en faisant les changements suivants :

les boissons
whisky, vin doux, porto sec, porto doux, cinzano, jus d'orange, cognac, grand marnier, armagnac, vodka, cherry-brandy, fine, etc.

les clients
deux messieurs, un monsieur et deux dames, un monsieur seul, etc.

au lieu de « Certainement, ... suite »
« Bien, Monsieur », « Oui, Monsieur, tout de suite ».

● Comment faire payer l'addition

a) Mémorisez la première partie du dialogue 2.

b) Redites-le en changeant :
les boissons,
les clients,
et en utilisant « note », « ticket » à la place de « fiche ».

c) Au lieu de montrer la fiche, vous indiquez le prix en monnaie de votre pays. En vous inspirant de la deuxième partie du dialogue 2, imaginez un nouveau dialogue.

Pour aller plus loin

1 Compréhension orale

- « Bonsoir, Messieurs. Qu'est-ce que vous désirez ?
— On reste au bar ? Ou bien est-ce que vous voulez vous asseoir à une table ?
— On reste ici, on va aller au restaurant.
— Parfait. Qu'est-ce que vous prenez ? Alcool ? Sans alcool ?
— Sans alcool. Un jus de fruits. Un jus de tomate.
— Un jus de tomate pour Monsieur, et pour moi, donnez-moi un apéritif... un pastis.
— Bien, Monsieur. Le jus de tomate, assaisonné ?
— Oui. Du sel de céleri, surtout.
— Bien, Monsieur. Et le pastis ? Ricard ou Pernod ?
— Ricard. Et vous nous donnerez quelques amuse-gueule.
— Certainement, Monsieur.
— Ah, et vous le mettrez sur ma note d'hôtel. M. Leblanc, chambre 214.
— M. Leblanc, chambre 214... Pouvez-vous signer ici ? Merci, Monsieur.

Où se passe la scène ? A quel moment ? Où s'asseyent les clients ? Pourquoi ? Combien y a-t-il de clients ? Quel est celui qui paye ? Que commande-t-il ? Que commande l'autre ? Comment paye-t-il ?

- « Qu'est-ce que vous prenez, Véronique ?
— Je ne sais pas. Qu'est-ce que vous avez comme boisson locale ?
— Madame désire-t-elle une sangria ?
— Une sangria ? Qu'est-ce que c'est ?
— Du vin rouge et rosé, mais avec des fruits frais coupés dedans, et nous ajoutons aussi du cointreau. C'est servi glacé.
— Je vais essayer.
— Et vous ? Tu veux aussi une sangria, Isabelle ?
— Non. Je peux avoir un manhattan ?
— Bien sûr, Madame. Noilly-Prat et whisky ?
— Parfait.
— Moi, je prends un vermouth. Toi aussi, Paul ?
— Non, merci, Jacques. Je reste fidèle au cocktail maison.
— Cocktail maison ?
— Oui, un barbotage, c'est bien comme ça que vous l'appelez ?
— En effet, Monsieur. Une cuillerée à café de grenadine, un demi jus de citron, un demi jus d'orange et du champagne bien frappé.
— Hmm... Je vais essayer ça, moi aussi.
— Bien, Monsieur. Alors... Deux cocktails maison, un manhattan et une sangria.

. . . .

— Je regrette, Madame, mais nous n'avons plus de sangria ce soir, et sa préparation est assez longue.

— Ça ne fait rien. Qu'est-ce que vous proposez d'autre ?

— Madame veut-elle également goûter notre cocktail maison ?

— Non, pas de champagne. Vous avez quelque chose avec du citron ?

— Oui, Madame. Un gin-fizz, par exemple, une cuillerée à café de sucre, le jus d'un demi-citron, un verre de gin et du soda. »

 Combien y a-t-il de clients ? Que sont-ils ? Qu'est-ce que Véronique a d'abord commandé ? Comment est-ce fait ? Qu'est-ce qu'il y a dans un manhattan ? le coktail maison ? un gin-fizz ? Dites comment sont faits des cocktails que vous connaissez.

2 Expression orale

Comment décrire une boisson à un client

a) Voici trois recettes de cocktail :

AMERICANO Dans un tumbler, mettre un morceau de glace. Ajouter un peu de soda et presser un zeste de citron, 1/3 campari, 2/3 vermouth italien.

ALEXANDER Une cuillerée de crème fraîche, 1/3 crème de cacao, 2/3 cognac. Frapper et servir dans un double verre à cocktail.

BRANDY EGG NOG Au shaker : 1 cuillerée à café de sucre, 1 jaune d'œuf, 1 verre de cognac, compléter avec du lait. Bien frapper, servir dans un grand tumbler en saupoudrant de noix de muscade.

Un client vous demande : « Un américano ? Qu'est-ce que c'est ? » Vous lui expliquez.

b) La classe écrit au tableau, en français, des recettes de cocktails connues des élèves. Même exercice que pour a).

Situation 2 : « Ce n'est pas ce que j'ai commandé. »

Actes de communication courants

1

Le barman	Voici. Le jus de pamplemousse est pour Madame, je crois ; la fine champagne pour Monsieur, et l'infusion pour Monsieur.
Le client	L'infusion ? Quelle infusion ? Je n'ai pas commandé d'infusion, moi.
Le barman	Vous n'avez pas commandé une verveine ?
Le client	Si, mais un digestif, pas une infusion. Pourquoi pas un tilleul-menthe pendant que vous y êtes ?
Le barman	Excusez-moi, Monsieur, mais j'avais cru comprendre...
Le client	Eh bien, vous avez mal compris, voilà tout. J'ai bien dit que je prendrais une verveine.
Le barman	En effet, Monsieur. Je vous apporte tout de suite une verveine liqueur. Jaune ou verte ?

Quelles sont les boissons commandées ? les boissons apportées ? Comment fait-on une infusion ? Que pensez-vous de l'attitude du client ? de l'attitude du garçon ? Étudiez sa façon de répondre.

2

La cliente	Dites-moi, garçon. Qu'est-ce que vous avez mis dans ce café liégeois ?
Le barman	Du café très fort, une boule de glace à la vanille et de la crème Chantilly. C'est la recette classique.
La cliente	Ah, non ! Dans le vrai café liégeois, ce n'est pas de la glace à la vanille que l'on met, mais de la glace au café.
Le barman	Je suis désolé, Madame, mais ce n'est pas la recette que j'ai apprise, et ce n'est pas celle que nous faisons ici.
La cliente	Ce goût de vanille est insupportable.
Le barman	Voulez-vous que j'ajoute une boule de glace au café, Madame, et que j'enlève la boule de vanille ?
La cliente	C'est ça. Ajoutez une glace au café, mais laissez la boule de vanille.

Comment le garçon a-t-il fait le café liégeois ? Quelle est la recette de la cliente ? Quelle est la bonne d'après vous ? Étudiez l'attitude du garçon. Comment est-ce qu'il répond : la première fois ? la deuxième ? la troisième ? Que pensez-vous de l'attitude de la cliente ?

3

1re cliente	Mademoiselle, s'il vous plaît. Je vous ai commandé un thé citron, mais vous ne m'avez pas apporté le citron.
La serveuse	Excusez-moi, Madame. J'avais compris que vous vouliez un thé nature. Je vous apporte le citron tout de suite.
2e cliente	Et en même temps, si vous pouviez m'apporter un peu de crème pour mon café à moi, ce serait mieux. D'habitude, vous servez toujours le café avec de la crème.
La serveuse	C'est exact, Madame, mais nous savons que les Français, en général, prennent leur café noir.
2e cliente	Je ne suis pas française, mais suisse.
La serveuse	Excusez-moi, Madame. J'apporte la crème tout de suite, et le citron aussi.

Combien y a-t-il de clientes ? Qu'ont-elles commandé ? Qu'est-ce que la serveuse a apporté ? Qu'est-ce qu'un thé nature ? Pourquoi la serveuse n'a-t-elle pas apporté de crème avec le café ?

4

Le client	Dites-moi, garçon, on ne peut pas téléphoner ?
Le barman	Oui, Monsieur.
Le client	Comment ? C'est quand même un peu fort qu'on ne puisse pas téléphoner dans un bar comme celui-ci !
Le barman	Pardon ! Si, Monsieur, vous pouvez téléphoner. C'est pour la ville ou pour l'extérieur ?
Le client	La ville.
Le barman	Alors, vous pouvez aller directement dans la cabine, si vous avez de la monnaie.
Le client	J'en ai. Vous avez l'annuaire ?
Le barman	Vous le trouverez dans la cabine, Monsieur.

Que demande le client ? Que comprend-il ? Est-il content ? Quelle erreur le barman a-t-il faite ? Est-ce important ? Pourquoi ? Quel type d'appareil se trouve dans la cabine ?

5

La cliente (et son enfant)	Dites-moi, Mademoiselle, où se trouvent les toilettes ?
La serveuse	Vous prenez la porte, là-bas, à gauche, au fond de la salle ; vous trouvez un couloir et vous verrez à droite les toilettes pour dames en face de vous.
La cliente	Et pour messieurs ?
La serveuse	C'est dans le même couloir, mais sur la gauche.

Exercices

Du café très fort,
une boule de glace
à la vanille
et de la crème
Chantilly.

L'ordre des mots dans
la phrase simple (5) :
synthèse

Mettez l'un après l'autre les mots à leur place dans la phrase de départ :

Phrase de départ	Expansions
1 L'hôtel est complet.	grand - absolument - de la plage - depuis hier
2 Le barman fait des cocktails.	du Cintra - nouveau(x) - tas de - extraordinaires
3 Les tabourets sont confortables.	en métal - ne ... pas - du comptoir - grands - du tout
4 Les clients trouvent la salle agréable.	habituels - plupart des - rouge - ne ... guère

un peu de crème
pour mon café,
à moi...

Les possessifs (4)

a) *Faites autant de questions que possible :*

Cette recette Ce projet	est	de toi, d'elle, de lui, de nous,	ou	de lui, d'elle, de toi, d'eux, de
Ces remarques Ces conseils	sont	de vous, d'eux, d'elles, de moi		nous, d'elles, de moi, de vous

b) *Répondez sur le modèle suivant :*
Ex. : Cette recette est de toi ou de lui ?
→   Celle-ci est la mienne ; je ne connais pas la sienne.

C'est quand même
un peu fort
qu'on ne puisse
pas téléphoner...

Le verbe
formes particulières (3) :
le subjonctif

a) *Vous exprimez poliment mais fermement à un client la nécessité absolue de faire quelque chose. Vous employez la formule :* Il faudrait à tout prix que vous... *Que direz-vous si le (la) client(e) doit :*

1 aller au commissariat,
2 être à 6 h à la réception,
3 savoir quel jour vous partez,
4 avoir un billet d'avion avec vous,
5 pouvoir téléphoner au consulat.

b) *Vous êtes encore plus poli(e) et vous employez la formule :*
Il faudrait à tout prix que Madame (Monsieur, Madame et Monsieur)... *Utilisez les mêmes phrases.*

Si vous pouviez
m'apporter un peu
de crème
pour mon café,
ce serait mieux.

L'hypothèse (2) :
Si + imparfait/
conditionnel présent

a) *Imaginez la suite de ce que pourraient vous dire les clients :*
Si vous pouviez
1 nous servir tout de suite...
2 nous indiquer une table...
3 nous apporter le menu...
4 nous donner la carte...

b) *Imaginez la condition que vous donnerez aux clients :* Si...
1 vous pourriez assister à la fête.
2 je vous conseillerais ce plat.
3 l'hôtel vous consentirait des prix.
4 le temps serait certainement meilleur, etc.

J'ai bien dit
que je prendrais
une verveine.

La concordance des
temps (1) :
futur → conditionnel

On vous demande : Tu crois que le patron nous augmentera ?
et vous répondez   : Je ne sais pas, mais ce qui est sûr, c'est qu'il a dit qu'il nous augmenterait le mois prochain.

1 Tu crois que le barman nous quittera ?
2 Tu crois que leurs enfants rentreront bientôt de voyage ?
3 Tu crois que ces clients reviendront ?
4 Tu crois que le monsieur du 12 s'en ira bientôt ?
5 Tu crois que la serveuse viendra ?
6 Tu crois que ses parents seront là longtemps encore ?

Votre savoir-faire

● Comment rester calme, poli et digne

Le client peut être ironique (ex. : « Si vous pouviez m'apporter un peu de crème, ce serait mieux »), ou même grossier (ex. : « Eh bien, vous avez mal compris, voilà tout »). Vous devez rester calme, poli et digne. Regardez ce que répondent la serveuse et le garçon pour approuver :

En effet, / Bien sûr, / C'est exact, / Certainement,	Monsieur, Madame, Messieurs, Mesdames.

Attention ! Il faut s'entraîner à utiliser l'intonation descendante.

a) Répondez aux remarques suivantes. (Donnez pour chacune toutes les réponses possibles.)

Garçon,	vous savez faire un jus de fruits, au moins ? vous n'avez pas compris ma commande. je croyais que le service était rapide. n'oubliez pas la glace dans l'américano.
Mademoiselle,	j'ai toujours vu le café servi avec du sucre. on sert les clients dans cette maison ? etc.

b) Reprenez l'exercice *a*) ; ajoutez des excuses, si c'est nécessaire, et une explication. Ex. : « Mademoiselle, vous savez faire un jus de fruits, au moins ?

Certainement ⎫
— Bien sûr,   ⎬ Madame. ⎰ Madame désire-t-elle ⎱ un jus d'orange ou un jus de
En effet,   ⎭   ⎱ Désirez-vous   ⎰ pamplemousse ? »

● Comment indiquer où se trouvent les toilettes

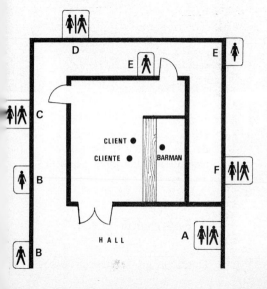

Vous êtes le barman ; un client ou une cliente vous demande où se trouvent les toilettes.
Que répondez-vous si les toilettes sont :
— en A,
— en B,
— en C,
— en D,
— en E,
— en F,.
Mémorisez le dialogue 5, puis faites l'exercice.

Pour aller plus loin

1 Expression orale

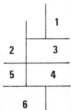

Dites ce que vous pensez
de ces scènes et imaginez
les divers dialogues possibles.

2 Expression écrite

Décrivez les scènes ci-dessus.

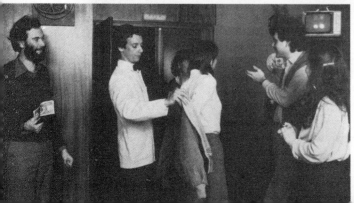

3 Compréhension orale

« Excusez-moi, Monsieur, mais vous avez demandé un « lait aux fruits ». Je ne sais pas ce que c'est, et le barman non plus.
— C'est pourtant simple ! Vous prenez des fruits frais, des pêches, des bananes, des fraises... ce que vous avez...
— Oui, Monsieur.
— Vous les coupez en morceaux, vous les mettez avec du sucre, un peu de glace et beaucoup de lait dans un mixer...
— Un mixer ?
— Oui. Un appareil qui coupe très fin et mélange...
— Ah, oui... Je regrette, mais nous n'avons pas de mixer, Monsieur.
— Ah, bon... Alors, donnez-moi :... un citron pressé. Vous avez un presse-fruits, au moins ?
— Certainement, Monsieur. »

4 Expression libre

● *La conversation entre le client et le barman :*
— un élève donne une première réplique ;
— un autre élève donne la deuxième, etc., jusqu'à ce qu'on soit obligé d'arrêter le dialogue parce qu'on ne trouve plus de réplique.
On commence alors un autre dialogue.

● *La conversation des clients entre eux.*
Même exercice.

Chapitre 2 : Dans les étages

Situation 1 : « Tout est-il comme vous le désirez ? »

Actes de communication courants

1 Montrer la chambre

L'employée	Voici la chambre, Monsieur. Vous avez le cabinet de toilette ici, avec une petite entrée qui vous isole bien du couloir. Les w.-c. sont dans le couloir, la troisième porte à droite.
Le client	Il n'y a pas d'armoire ?
L'employée	Vous avez une penderie ici. La chambre vous convient-elle ?
Le client	Ça ira comme ça. Merci.

2 Le petit déjeuner

Regardez la fiche ci-jointe. Remplissez-la pour une ou deux personnes, deux adultes et un enfant, etc., en composant des petits déjeuners différents (avec ou sans suppléments).

« Réception. Bonjour.
— Nous pouvons avoir deux petits déjeuners, s'il vous plaît ?
— Certainement, Madame. Thé ? Café ?
— Un thé complet, avec citron, et un café noir, un très grand pot je vous prie, avec seulement du pain, pas de croissant.
— Bien, Madame. Vous désirez déjeuner tout de suite ?
— S'il vous plaît.
— Je peux vous demander le numéro de votre chambre ?
— 304.
— Chambre 304. Un thé citron complet, un grand café noir sans croissant. Je m'en occupe immédiatement, Madame. »

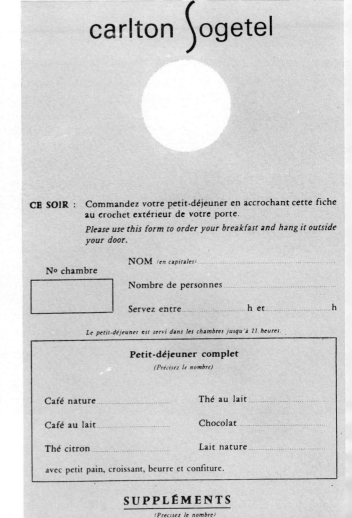

carlton Sogetel

CE SOIR : Commandez votre petit-déjeuner en accrochant cette fiche au crochet extérieur de votre porte.
Please use this form to order your breakfast and hang it outside your door.

No chambre

NOM *(en capitales)*

Nombre de personnes

Servez entre   h et   h

Le petit-déjeuner est servi dans les chambres jusqu'à 11 heures.

Petit-déjeuner complet
(Précisez le nombre)

Café nature	Thé au lait
Café au lait	Chocolat
Thé citron	Lait nature

avec petit pain, croissant, beurre et confiture.

SUPPLÉMENTS
(Précisez le nombre)

Jus de fruits	Œufs et divers
Pamplemousse	Œufs à la coque
Orange	Œufs sur le plat
	Œufs au bacon
	Corn flakes lait

Société Sogetel, Intl., Paris.

Quelles sont les deux personnes qui parlent ? Dans quelle chambre est la cliente ? Combien y a-t-il de personnes ? Quand désirent-elles déjeuner ? Que commande-t-elle ?

Redites le dialogue ; faites varier le numéro de la chambre, ce qui est commandé, le moment où on veut le petit déjeuner.

La cliente	Entrez ! Oui, vous pouvez entrer.
La femme de chambre	Bonjour, Madame ; bonjour, Monsieur. Où est-ce que vous désirez que je pose le plateau ?
La cliente	Mettez-le là, sur la table près du lit. Mais j'ai demandé... Oh, pardon, excusez-moi, j'ai cru que vous aviez oublié le citron.
La femme de chambre	Non, Madame. Et pour le café ? Est-ce que ce sera suffisant comme ça ?
La cliente	C'est parfait.
La femme de chambre	Voulez-vous que je tire les rideaux et que j'ouvre les volets ?
La cliente	S'il vous plaît. Merci.

 Que fait la femme de chambre avant d'entrer ? Pourquoi, à votre avis, la dame précise-t-elle qu'elle peut entrer ? Qu'est-ce que la dame n'a pas vu ? Que demande la femme de chambre à propos du café ? Qu'est-ce qu'elle propose ?

3 Le blanchissage

La cliente	Est-ce qu'on peut faire laver du linge à l'hôtel ?
La femme de chambre	A l'hôtel, non, mais nous avons une blanchisserie qui s'occupe chaque jour du linge des clients. Vous n'avez pas trouvé une fiche dans votre chambre ?
La cliente	Non.
La femme de chambre	Je vous en apporte une tout de suite. Laissez-la avec le linge à laver dans votre chambre, je m'en occuperai.
La cliente	Et vous me le rapporterez quand ? Je vous le donne maintenant.
La femme de chambre	Alors, du moment que je l'ai avant ce soir, je vous le rapporterai demain avant dix-huit heures.

4 Le repassage

La cliente	Vous pourriez me donner un coup de fer à ce chemisier, s'il vous plaît ?
La femme de chambre	Je suis désolée, Madame, mais l'hôtel n'assure plus ce service. Avec les tissus nouveaux, nous avions toujours des ennuis, et c'était devenu impossible...
La cliente	C'est terriblement ennuyeux, je sors ce soir et avec ce chemisier tout froissé...
La femme de chambre	Écoutez, Madame, pour vous être agréable, et à titre personnel, je ferai une exception. Je termine mon service dans une demi-heure ; je m'occuperai de votre chemisier à ce moment-là, si vous le voulez bien.

128

Exercices

Le genre des noms
(5) : formes distinctes

Mettez les phrases suivantes au masculin :
1 C'est une bonne compagne. 2 Sa nièce est arrivée. 3 C'est sa meilleure amie. 4 Elles n'ont plus de copine. 5 Elle est speakerine à la radio. 6 C'est une belle femme. 7 Sa femme travaille avec moi. Etc.

J'ai cru que vous aviez oublié le citron.
— *C'était devenu impossible.*
La forme des verbes (4) : plus que parfait : Être ou Avoir ?

On vous dit : Ils viennent nous voir tout à l'heure.
et vous répondez : Ah, bon ! Je croyais qu'ils étaient venus hier.

1 Nous y allons tout de suite.
2 Ils se chargeront du travail.
3 Le chef prépare les glaces.
4 Monsieur Dupuis va téléphoner aujourd'hui.
5 La femme de chambre s'occupe du linge.
6 Je vais lui écrire tout de suite.

C'est terriblement ennuyeux.
Mettez-le là.
Je vous en apporte une tout de suite.
Les expansions de la phrase simple (3) : les adverbes.

Complétez chacune des phrases suivantes en ajoutant au moins trois adverbes de catégories différentes (temps, lieu, manière, intensité, quantité).
Ex. : Ils ont travaillé toute la journée.
→ Hier, ils ont travaillé ici presque toute la journée.

1 Ils sont aimables.
2 C'est difficile pour eux.
3 La cave est excellente.
4 Le patron a refait la décoration de toutes les pièces.
5 Nous espérons qu'il travaille-
ra.
6 Il l'a rencontrée.

J'ai cru que vous aviez oublié le citron.
Je crois que vous avez oublié le citron.
La concordance des temps (2) :
présent → imparfait

On vous dit : Je crois qu'il est très gentil.
et vous répondez : Oh, moi aussi, pendant longtemps j'ai cru qu'il était très gentil.

1 Je pense qu'il est honnête.
2 Je crois qu'elle veut bien faire.
3 Je considère que l'affaire est réglée.
4 Je me demande s'ils connaissent leur métier.
5 Je suppose que nous sommes d'accord.
6 Je dis que nous devons nous entendre.

Du moment que je l'ai avant ce soir, je vous le rapporterai demain avant 18 heures.
La cause et la conséquence (1) :
la cause

Faites autant de phrases que possible du type :
Parce que (puisque, comme, etc.) nous ne voulons pas repasser son linge, il n'est plus revenu à l'hôtel.
ou : Il n'est plus revenu à l'hôtel parce que (comme, etc.) nous ne voulions pas repasser son linge.

parce que	les garçons travaillent le dimanche	nous ne pouvons pas assurer tous les services.
puisque	l'hôtel est fermé en décembre	l'hôtel n'assure plus le repassage.
comme	nous avons eu de gros ennuis	nous sommes obligés de refuser des clients.
du moment que	nous redécorons les chambres	nous ne pouvons pas vous recevoir.
étant donné que	nous avons moins de personnel	le service sera assuré normalement.

Votre savoir-faire

● **Comment montrer la chambre**

1 Décrivez les chambres ci-dessous en faisant ressortir les avantages des aménagements.

2 En vous inspirant du dialogue 1, imaginez comment vous montrerez chacune de ces chambres aux clients.

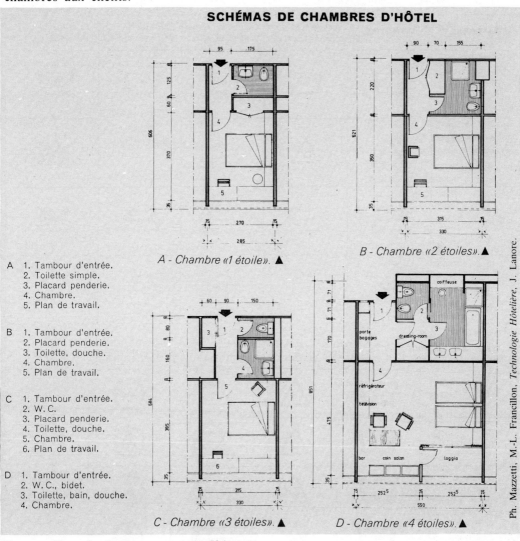

SCHÉMAS DE CHAMBRES D'HÔTEL

A - Chambre «1 étoile». ▲

B - Chambre «2 étoiles». ▲

C - Chambre «3 étoiles». ▲

D - Chambre «4 étoiles». ▲

A 1. Tambour d'entrée.
   2. Toilette simple.
   3. Placard penderie.
   4. Chambre.
   5. Plan de travail.

B 1. Tambour d'entrée.
   2. Placard penderie.
   3. Toilette, douche.
   4. Chambre.
   5. Plan de travail.

C 1. Tambour d'entrée.
   2. W.C.
   3. Placard penderie.
   4. Toilette, douche.
   5. Chambre.
   6. Plan de travail.

D 1. Tambour d'entrée.
   2. W.C., bidet.
   3. Toilette, bain, douche.
   4. Chambre.

Ph. Mazzetti, M.-L. Francillon, *Technologie Hôtelière*, J. Lanore.

Les gaffes de Léon, garçon d'étages

Pour aller plus loin

1 Compréhension écrite

TABLEAU RÉCAPITULATIF D'ENTRETIEN

DEGRÉ		3	2	1	0
TRAITEMENT	**SYMBOLE**	*Aucune précaution spéciale nécessaire*	*Certaines précautions nécessaires*	*Précautions spéciales nécessaires*	*Traitement interdit*
LAVAGE	Cuvier	95°	60°	*	
				* 30° ou 40° selon les articles	
TRAITEMENT A L'EAU DE JAVEL	Triangle	Cℓ			
REPASSAGE	Fer à repasser				
NETTOYAGE A SEC	Tambour de nettoyage à sec	Ⓐ	Ⓟ	Ⓕ	

ENSEMBLE DE VIGNETTES
apposées sur « Articles en fibres naturelles, tissu non teint et non apprêté »

COTON	95°	Cℓ		Ⓐ
LIN	95°	Cℓ		Ⓐ
CHANVRE	95°	Cℓ		Ⓐ
LAINE	40°			Ⓐ
SOIE	40°			Ⓐ

Ph. Mazzetti, M.-L. Francillon, *Technologie Hôtelière*, J. Lanore.

2 Expression orale

a) Décrivez, pour chacun des tissus ci-dessus, ce qu'il convient de faire (« Pour le coton, on peut le laver sans précaution spéciale », etc.).

b) Une cliente vous remet des vêtements à laver et repasser. Vous regardez l'étiquette et vous lui faites préciser ce qu'il est possible de faire.

Utilisez les vignettes ci-dessus et recherchez-en d'autres.

3 Traduction

a) Traduisez dans votre langue les relations de cause et de temps indiquées dans les cases marquées d'une croix :

		ils reviennent	ils revenaient	ils reviendront	ils reviendraient	ils sont revenus	ils étaient revenus	ils seront revenus	ils seraient revenus
Comme	les clients sont contents	X		X					
Parce que	les clients étaient contents		X		X				
Puisque	les clients seront contents			X					
Étant donné que	les clients seraient contents				X				
Du moment que	les clients ont été contents	X		X		X			
	les clients avaient été contents		X				X		
	les clients auront été contents			X				X	
	les clients auraient été contents					X			X

b) Traduisez les phrases suivantes :

1 En principe, nous servons le petit déjeuner dans les chambres, mais comme certains clients préfèrent le prendre en bas, nous avons aussi un service au salon.

2 Nous aurions pu garder l'hôtel ouvert toute l'année, mais étant donné que nous n'avions que peu de clients en novembre, nous avons préféré fermer.

3 D'après nos prévisions, nous aurions dû refuser du monde à Noël puisque l'hôtel aurait dû être complet ; mais comme il n'a pas neigé, nous avons eu des chambres vides.

4 Du moment que la femme de chambre avait terminé son travail, elle était tout à fait libre de vous rendre ce service, mais comme elle l'a fait à titre personnel, la responsabilité de l'hôtel ne pourra pas être engagée s'il y a un ennui.

5 D'après lui, nos clients habituels ne reviendraient pas parce qu'ils supporteraient mal l'installation de la boîte de nuit au rez-de-chaussée ; moi je dis qu'au contraire, ils reviendront encore plus facilement puisqu'ils auront une distraction supplémentaire.

Situation 2 : « *Je m'en occupe tout de suite.* »

Actes de communication courants

1

Le client	Dites-moi, Mademoiselle, c'est tout ce que vous donnez comme serviette de toilette ?
La femme de chambre	Oui, Monsieur. Deux serviettes de toilette et une serviette de bain.
Le client	Une seule serviette de bain pour deux personnes, ça ne fait pas beaucoup.
La femme de chambre	C'est ce que nous distribuons habituellement, Monsieur. Mais je vais tout de suite vous en chercher une autre.

2

La cliente	Comment se fait-il qu'il n'y ait pas de produit d'accueil dans les chambres ? On s'attend à en trouver dans un hôtel de votre catégorie.
La femme de chambre	Je suis désolée, Madame, mais depuis bientôt un an, la direction n'en distribue plus. Ça revenait trop cher.
La cliente	C'est bien embêtant. Je me retrouve sans savon, moi.
La femme de chambre	Nous avons des savonnettes, mini-modèle, à un prix minime.
La cliente	Vous m'en apporterez une, s'il vous plaît.

Quels produits la dame peut-elle s'attendre à trouver dans la chambre (cf. p. 135) ? Pourquoi l'hôtel ne donne-t-il plus de produits d'accueil ? Que fait-il, à la place ?

3

La cliente	Mademoiselle, est-ce que nous pouvons avoir un vase pour des fleurs ?
La femme de chambre	Bien sûr, Madame. Quel genre de fleurs ? Des violettes ou des fleurs à grande tige ?
La cliente	C'est pour des roses, et il faudrait un vase assez haut.
La femme de chambre	Je vais voir ce que j'ai, Madame.

4

Le client	Ah, garçon ! Nous avons déjà signalé hier que la baignoire se vide très mal et qu'elle est inutilisable.
Le garçon d'étage	Je l'ai tout de suite signalé hier, mais c'était le jour de congé du factotum.
Le client	Si quelqu'un avait pu venir hier soir ou ce matin de bonne heure, ça nous aurait bien arrangés. Nous n'avons même pas pu nous doucher ce matin.
Le garçon d'étage	Je vais rappeler qu'on fasse tout de suite la réparation, Monsieur.

De quoi le client se plaint-il ? Quand s'en est-il plaint ? Qu'a fait le garçon d'étage ? Le client a-t-il pu profiter de sa salle de bains ? Que va faire le garçon ? Est-ce la première fois ?

5

Le client	Vous savez, la salle de bains est tellement vieille qu'on hésite même à prendre une douche.
Le garçon d'étage	Je sais, Monsieur et je m'en excuse. Il est certain que vous n'avez pas la meilleure chambre de ce point de vue, mais...
Le client	Vous êtes modeste ! Et en plus de ça, la chasse d'eau fait du bruit. C'est agaçant.
Le garçon d'étage	Ça, je sais d'où ça vient et je vais le réparer tout de suite et supprimer le bruit.

De quoi se plaint le client ? Que répond le garçon pour la première plainte ? pour la seconde ? Que va-t-il faire ?

Redites le dialogue. Faites varier ce dont le client se plaint et les réponses du garçon.

6

La cliente	Entrez !
Le garçon d'étage	Vous avez sonné, Madame ?
La cliente	Oui, on gèle dans cette chambre. Vous pouvez faire quelque chose au radiateur, ou alors nous apporter un chauffage électrique ?
Le garçon d'étage	Je vais purger le radiateur, Madame, et tout devrait redevenir normal.

7

La cliente	Ah, dites-moi, Mademoiselle, vous n'avez pas trouvé une écharpe rose en soie dans la chambre 302 ? Je viens d'y retourner et je ne l'ai pas vue.
La femme de chambre	Non, Madame. Mais la chambre n'est pas encore faite et soyez tranquille, au cas où je la retrouverais, je la remettrais à la réception qui vous préviendra.

Les gaffes de Léon, factotum

Exercices

Lisez les chiffres et expressions suivants :

36, 72, 97, au 14e étage, 1/3 en moins, 1 heure 1/2, une 1/2 heure, le 1er mai, le 25 décembre, dans 1/4 d'heure, 2618, etc.

Trouvez des situations correspondant à chacun des éléments des paires de phrases ci-dessous :

1 *a* Le secrétaire répond au courrier.
  b Le patron répond de ses employés.

2 *a* Il fait garder la maison.
  b Il s'est gardé de le faire.

3 *a* Nous prendrons un bordeaux rouge.
  b Ne me prenez pas pour un imbécile.

4 *a* Passez-moi le sel.
  b Il passe son temps à jouer.

5 *a* Je plains ces pauvres gens.
  b Je vais me plaindre au directeur.

6 *a* Le caissier compte la recette.
  b Le patron compte sur des rentrées d'argent.

a) *Mettez ensemble les formes qui conviennent.*

Si nous
{ pouvons
  pouvions
  avions pu }
{ faire refaire
  toutes les
  chambres,
  nous }
{ aurions
  aurions eu
  aurons }
{ moins d'ennuis
  avec les
  clients. }

b) *Faites d'autres phrases sur le même modèle, en donnant les trois possibilités.*

Faites toutes les combinaisons possibles ayant un sens :

Il avait tellement faim Son restaurant était si connu Il y avait un tel monde Elle s'est placée au fond si bien M. Favier était si pressé Etc.	qu'
	il ne l'a pas remarquée. il ne vous a pas vus. il n'est resté qu'une minute. il ne nous a même pas salués. il était à peine aimable avec les clients.

*Au cas où je la retrouverais,
je la remettrais
à la réception.*

La condition (1)

Terminez les phrases suivantes :

1 Au cas où on me téléphonerait...
2 A moins d'un imprévu...
3 A condition de ne pas faire de bruit...
4 A supposer que l'hôtel soit complet...
5 En admettant que les prix nous conviennent...
6 Pourvu que vous réserviez quinze jours à l'avance...
  Etc.

Votre savoir-faire   ● Comment améliorer le confort du client

a) *Produits mis gratuitement à la disposition du client :*

▲ Boules Quies
pour oreilles.

▲ Blocs-notes au format 4 × 10,5 cm
accompagnant le téléphone
dans chaque chambre.

Bonnets de bain
ou de douche
en plastique. ▶

Eau de Cologne en sachet ▲
au nom de l'hôtel.

▶ Dentifrice en tube.

Etui à coudre. ▲

b) *Produits pouvant être vendus au client :*

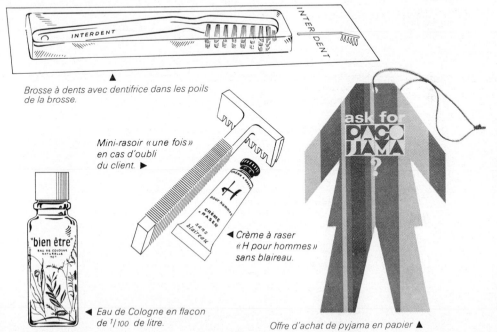

▲ Brosse à dents avec dentifrice dans les poils
de la brosse.

Mini-rasoir «une fois»
en cas d'oubli
du client. ▶

◀ Crème à raser
«H pour hommes»
sans blaireau.

◀ Eau de Cologne en flacon
de ¹/₁₀₀ de litre.

Offre d'achat de pyjama en papier ▲

Ph. Mazzetti, M.-L. Francillon, *Technologie Hôtelière*, J. Lanore.

1 Complétez la liste de l'une et l'autre catégorie de produits.
2 Jeu de rôle : Le client ne trouve pas ce qu'il souhaite dans la chambre. Il vous appelle pour vous le demander. S'il s'agit de produits
— gratuits, vous vous excusez et les apportez, s'il y en a ;
— payants, vous les proposez en indiquant le prix.

Pour aller plus loin

1 Compréhension écrite

Lisez attentivement le document ci-dessous, placé dans les chambres d'un hôtel parisien.

nos services

Bagages
Informez-vous
auprès du chef concierge.
Le dépôt prolongé des bagages
est également assuré.

Bar
Ouvert à partir de 11 heures,
le nouveau bar climatisé est à votre disposition
pour vos rendez-vous
ou pour retrouver vos amis.

Blanchissage
Pour le blanchissage de tout votre linge
dans les délais les plus brefs.
1) Remplissez la fiche verte
   qui se trouve dans votre chambre.
2) Demandez le valet ou la femme de chambre.

Boutiques
Situées dans le hall d'entrée Scribe,
vous y trouverez journaux,
articles de Paris, cartes postales, souvenirs.

Change
Les caissiers sont à votre disposition
pour effectuer
vos diverses opérations de change.

Clefs
Vous êtes priés de laisser les clefs chez le concierge
chaque fois que vous vous absenterez de l'hôtel.
Lorsque vous quittez votre chambre,
n'omettez pas de fermer votre porte à clef.

Coiffeur Parfumeur
Situé dans l'entrée Capucines,
le Salon René Bourgeois,
haute coiffure, soins de beauté, parfums,
ouvert de 9 h 30 à 18 h 30 du lundi au samedi inclus.

Congrès Conférences Banquets Réceptions
Pour vos congrès, séminaires, conférences, expositions,
cocktails, banquets, nos salles climatisées peuvent
recevoir de 20 à 1.000 personnes, avec sonorisation,
matériel de projection, traduction simultanée, entrée
indépendante Place de l'Opéra.

Courrier
Dès votre arrivée, veuillez demander au bureau des
renseignements, le courrier qui aurait pu vous précéder.
Pendant votre séjour, vous retrouverez le courrier
dans votre casier à clefs, ou sur votre demande,
il vous sera remis dans votre chambre.

Fleurs
Le concierge effectuera pour vous
toute commande
et la fera livrer directement où vous le désirez.

Garages et Parkings
Sur recommandation de l'hôtel :
le parking Olympia : 7, r. Caumartin, Paris 9e, T. 073-49-39
le parking Lafayette : bld. Haussmann, Paris 9e, T. 874-17-53
le parking Vendôme : pl. Vendôme, Paris 9e, T. 265-50-00
prendront en charge votre voiture pendant la durée
de votre séjour. Renseignez-vous auprès du concierge.

Garde des enfants
Demander la chef gouvernante
qui fera assurer avec diligence
la garde de vos enfants.

Location de voiture
Pendant votre séjour dans la capitale,
le concierge se fera un plaisir de vous procurer
une voiture de location,
avec ou sans chauffeur.

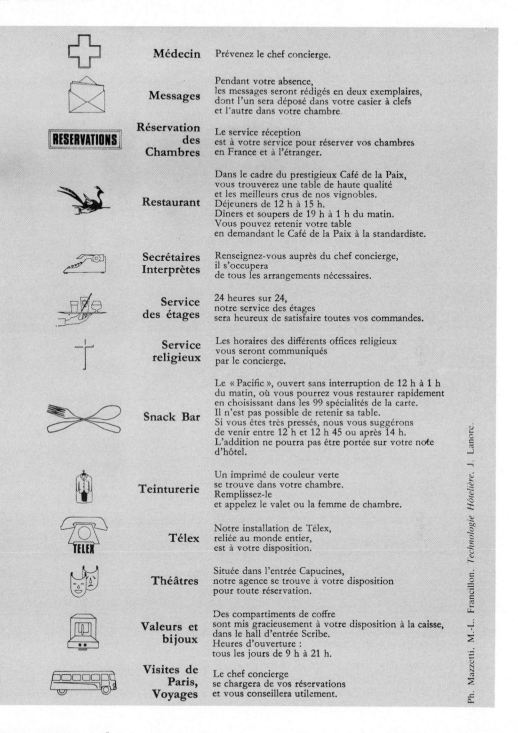

	Médecin	Prévenez le chef concierge.
	Messages	Pendant votre absence, les messages seront rédigés en deux exemplaires, dont l'un sera déposé dans votre casier à clefs et l'autre dans votre chambre.
RESERVATIONS	**Réservation des Chambres**	Le service réception est à votre service pour réserver vos chambres en France et à l'étranger.
	Restaurant	Dans le cadre du prestigieux Café de la Paix, vous trouverez une table de haute qualité et les meilleurs crus de nos vignobles. Déjeuners de 12 h à 15 h. Dîners et soupers de 19 h à 1 h du matin. Vous pouvez retenir votre table en demandant le Café de la Paix à la standardiste.
	Secrétaires Interprètes	Renseignez-vous auprès du chef concierge, il s'occupera de tous les arrangements nécessaires.
	Service des étages	24 heures sur 24, notre service des étages sera heureux de satisfaire toutes vos commandes.
	Service religieux	Les horaires des différents offices religieux vous seront communiqués par le concierge.
	Snack Bar	Le « Pacific », ouvert sans interruption de 12 h à 1 h du matin, où vous pourrez vous restaurer rapidement en choisissant dans les 99 spécialités de la carte. Il n'est pas possible de retenir sa table. Si vous êtes très pressés, nous vous suggérons de venir entre 12 h et 12 h 45 ou après 14 h. L'addition ne pourra pas être portée sur votre note d'hôtel.
	Teinturerie	Un imprimé de couleur verte se trouve dans votre chambre. Remplissez-le et appelez le valet ou la femme de chambre.
TELEX	**Télex**	Notre installation de Télex, reliée au monde entier, est à votre disposition.
	Théâtres	Située dans l'entrée Capucines, notre agence se trouve à votre disposition pour toute réservation.
	Valeurs et bijoux	Des compartiments de coffre sont mis gracieusement à votre disposition à la caisse, dans le hall d'entrée Scribe. Heures d'ouverture : tous les jours de 9 h à 21 h.
	Visites de Paris, Voyages	Le chef concierge se chargera de vos réservations et vous conseillera utilement.

Ph. Mazzetti. M.-L. Francillon. Technologie Hôtelière. J. Lanore.

2 Expression orale Jeu de rôle :

Un élève joue le rôle d'un(e) client(e) francophone dans un grand hôtel à l'étranger. Il/elle demande des précisions sur l'un des points du document ci-dessus. Un autre élève joue le rôle du garçon d'étage ou de la femme de chambre.

3 Traduction en français

Procurez-vous des documents semblables d'hôtels de votre pays et traduisez-les.

Chapitre 3 : Au standard téléphonique

Situation 1 : Le téléphone intérieur

Actes de communication courants

1

Le réceptionnaire	Réception, j'écoute.
Le client	Dites-moi, j'ai ma voiture qui est en panne ; je ne sais pas ce qu'elle a, mais elle ne veut plus démarrer.
Le réceptionnaire	Nous avons un garage près de l'hôtel, mais peut-être vaudrait-il mieux voir un concessionnaire. Quelle est la marque de votre voiture ?
Le client	Renault. Une R20.
Le réceptionnaire	Il y a un concessionnaire et le garage n'est pas très loin. Au bureau, quelqu'un parle français. Voulez-vous que je vous l'appelle au téléphone ?
Le client	S'il vous plaît.
Le réceptionnaire	Ne quittez pas, je vous prie.

Qu'arrive-t-il au client ? Quel type de voiture a-t-il ? Le réceptionnaire de l'hôtel conseille-t-il le garage le plus proche ? Pourquoi ?

La scène se passe-t-elle en France ? à l'étranger ? dans un pays francophone ? Justifiez votre réponse.

2

Le réceptionnaire	Réception, à votre service.
Le client	Ça fait quatre ou cinq fois que j'appelle le 407 et j'ai le vide au bout du fil.
Le réceptionnaire	Vous souhaitez appeler la chambre 407 ?
Le client	Oui. Vous m'avez bien dit qu'on pouvait appeler d'une chambre à l'autre ?
Le réceptionnaire	Excusez-moi, Monsieur. J'ai voulu dire qu'on pourrait le faire bientôt. Mais il faut d'abord modifier l'installation. Pour l'instant, il faut encore passer par le standard. Ne coupez pas, je vous passe la chambre 407.

Qu'est-ce que le réceptionnaire a dit au client ? Qu'est-ce que le client a compris ?
Observez la façon dont le réceptionnaire s'exprime. Que pourrait-il dire au début, au lieu de : « Vous souhaitez... » « Excusez-moi », « Ne coupez pas... » ?

Redites le dialogue. Faites varier le numéro de la chambre et la façon de s'exprimer du réceptionnaire.

3

Le réceptionnaire	Réception. Que puis-je faire pour vous ?
La cliente	Nous voudrions emmener des amis dîner, dans un endroit agréable, où on mange bien. Vous pouvez nous conseiller ?
Le réceptionnaire	Je connais un restaurant sur la colline, à mi-pente, qui domine le port. On y fait de la très bonne cuisine ; le cadre est agréable.
La cliente	Ce n'est pas trop bruyant ?
Le réceptionnaire	Au contraire, Madame, c'est très calme.
La cliente	Parfait. Vous nous réservez une table pour six et nous prendrons les indications nécessaires à la réception, en partant. C'est pour Madame Lautier, chambre 57.
Le réceptionnaire	Madame Lautier, chambre 57. Je m'en occupe tout de suite, Madame.

4

Le réceptionnaire	Réception, bonjour.
Le client	Bonjour. Ici, la chambre 234. Nous quittons l'hôtel ce matin et nous sommes assez pressés. Vous pouvez nous préparer la note ?
Le réceptionnaire	Certainement, Monsieur. Désirez-vous que je fasse prendre vos bagages ?
Le client	S'il vous plaît, mais dans un quart d'heure seulement. N'oubliez pas la note.
Le réceptionnaire	Soyez tranquille, Monsieur. Elle sera prête lorsque vous descendrez.

5

Le standardiste	Bonjour ! Vous avez appelé le standard ?
La cliente	Oui, je voudrais une communication pour la France. On peut l'avoir en automatique ?
Le standardiste	Oui, Madame. A condition que le numéro soit en automatique en France.
La cliente	Certainement. C'est pour Nice. C'est le 87.84.73.
Le standardiste	87.84.73... Vous avez l'indicatif du département ?
La cliente	Ah, non. Mais je peux essayer de le chercher.
Le standardiste	Ne vous donnez pas cette peine, Madame. Je vais le trouver rapidement. Raccrochez, je vous prie. Je vous rappelle dès que j'ai le numéro.

140

Exercices

Ce n'est pas trop bruyant ? — Au contraire, Madame, c'est très calme.

La comparaison et l'intensité (5) : les contraires

Quelle sera la réponse si on demande si ce n'est pas trop :

éloigné ? cher ? fragile ? fréquent ? difficile ? vieux ? mauvais ? épais ? foncé ? froid ? humide ? laid ? ancien ? large ? long ? sale ? rapide ? triste ? etc.

Peut-être vaudrait-il mieux voir un concessionnaire ? Je voudrais une communication pour la France.

Le verbe : formes particulières (4) Le conditionnel

On vous dit : Je voudrais deux petits déjeuners dans la chambre. *et vous répondez :* Je suis désolé(e) mais nous ne servons pas les petits déjeuners dans la chambre (ou, nous ne servons les petits déjeuners qu'au salon).

Que répondrez-vous si on vous dit :

1 Je voudrais un paquet de cigarettes françaises.
2 Je voudrais une bouteille de whisky.
3 Je voudrais un édredon.
4 Je voudrais garder la chambre jusqu'à deux heures.
5 Je voudrais une chambre avec douche.

Imaginez la deuxième partie de votre réponse.

Vous m'avez bien dit qu'on pouvait appeler d'une chambre à l'autre ? — J'ai voulu dire qu'on pourrait le faire bientôt.

La concordance des temps (3) : synthèse

Vous avez avec une cliente le dialogue suivant :

« Que désirez-vous, Madame ?
— Apportez-moi un chocolat, s'il vous plaît.
— Prendrez-vous quelques petits fours ? Ils sont très frais et très bons. C'est le chef qui les fait.
— Alors, si c'est le chef qui les fait, je les goûterai. »

Vous rapportez cette conversation à l'un de vos collègues :
Je lui ai demandé si elle...

A condition que le numéro soit en automatique.

La condition (2) : conjonctions suivies du subjonctif

Remplacez « si » par « à condition que, pourvu que, à supposer que, en admettant que » dans les phrases suivantes :

1 Si M. Cavalier connaît le numéro, il téléphonera.
2 Si tu sais te taire, nous lui ferons la surprise.
3 Si l'hôtel peut nous recevoir, nous y passerons la nuit.
4 Si vous partez avant midi, vous ne devrez pas payer un jour de plus.
5 Si je vais à Paris, je descendrai dans votre hôtel.

Je vous rappelle dès que j'ai le numéro. Elle sera prête lorsque vous descendrez.

Le temps (1) : indicatif

Mettez les phrases suivantes au futur.

1 Je prépare la note dès que les clients la demandent.
2 Vous allez chercher les bagages quand on sonne.
3 Vous décrochez dès que le téléphone sonne.
4 La standardiste demande la communication lorsque vous le désirez. Etc.

Votre savoir-faire

● Comment informer les clients
sur le service qu'ils peuvent attendre du téléphone

a) Étudiez le document ci-dessous que les clients d'un grand hôtel parisien trouvent dans leur chambre, près du téléphone :

POUR TÉLÉPHONER ...	
Pour vos communications urbaines	Faites le 00 puis composez le numéro
Pour vos communications interurbaines (mais faites précéder le numéro demandé du préfixe 15 ou 16, puis de l'indicatif départemental)	Faites le 00
Pour obtenir le Standard	Faites le 91
Pour la Réception :	Faites le 92
Pour commander votre petit déjeuner, des boissons, ou un repas dans votre appartement	Faites le 93
Vous avez un télégramme à envoyer, une commission à faire, vos bagages à descendre, vous désirez obtenir le concierge	Faites le 94
Vous avez des chemises à laver, un costume à repasser, une robe à nettoyer; vous désirez appeler la gouvernante ou une femme de chambre	Faites le 95
Vous désirez réserver une table à notre gril	Faites le 96
Vous désirez parler à l'occupant d'une autre chambre	Faites le n° de la chambre

Ph. Mazzetti, M.-L. Francillon, *Technologie Hôtelière*, J. Lanore.

b) Composez en français des tableaux semblables correspondant au service qu'offre le téléphone dans des hôtels de différentes catégories que vous connaissez dans votre pays.

c) Procurez-vous des tableaux semblables d'hôtels de votre pays et traduisez-les en français.

● Comment assurer un bon contact au téléphone (1)

Une personne qui répond au téléphone doit savoir :

1 se présenter, ou présenter son service ;
2 écouter ;
3 s'assurer qu'elle a compris (et donc, faire répéter ou répéter soi-même) ;
4 terminer la conversation ;
5 parler d'un ton très courtois.

Étudiez comment ce savoir-faire apparaît chez le réceptionnaire dans les cinq conversations ci-dessus (pp. 138-139).

Pour aller plus loin

1 Compréhension écrite et expression orale

a) Le standardiste de la conversation 5, p. 139, a devant lui le document suivant :

- AUTOMATIQUE INTERURBAIN -

Présentation, Copyright by Editions QUO VADIS, tous Pays, réservée aux Agendas Planing.

Il faut d'abord faire la distinction entre l'automatique régional et l'automatique national.

Automatique régional : Les abonnés situés dans la même zone automatique régionale s'obtiennent réciproquement en composant au cadran le numéro d'appel à 6 chiffres ou 7 chiffres pour la région parisienne tel qu'il figure à l'annuaire.

Automatique national : Pour appeler un abonné situé dans la zone automatique nationale, il faut :

De PROVINCE - Pour appeler la PROVINCE :

1°) Faire sur votre cadran le **16**
2°) Attendre la tonalité
3°) Faire l'indicatif du département ( )
4°) Composer les **6 chiffres** de l'abonné demandé.

Ex : **16** (tonalité) **(40) 24.45.27**

De PROVINCE - Pour appeler PARIS et RÉGION PARISIENNE :

1°) Faire sur votre cadran le **16**
2°) Attendre la tonalité
3°) Faire le chiffre **1** (indicatif de PARIS)
4°) Composer les **7 chiffres** de l'abonné demandé.

Ex : **16** (tonalité) **(1) 336.42.72**

De PARIS et RÉGION PARISIENNE - Pour appeler la PROVINCE :

1°) Faire sur votre cadran le **16**
2°) Attendre la tonalité
3°) Faire l'indicatif du département
4°) Faire les **6 chiffres** de l'abonné demandé.

INDICATIFS DÉPARTEMENTAUX

POSTAUX (à gauche)   TÉLÉPHONIQUES (à droite)

01 Ain	79 - 74 ou 50	32 Gers	62	64 Pyrénées-Atlantique	59
02 Aisne	23	33 Gironde	56	65 Pyrénées (Hautes)	62
03 Allier	70	34 Hérault	67	66 Pyrénées-Orientales	68
04 Alpes (Hte-Prov.)	92	35 Ille-et-Vilaine	99	67 Rhin (Bas)	88
05 Alpes (Hautes)	92	36 Indre	54	68 Rhin (Haut)	89
06 Alpes-Maritimes	93	37 Indre-et-Loire	47	69 Rhône	72 - 78 ou 74
07 Ardèche	75	38 Isère	74 ou 76	70 Saône (Haute)	84
08 Ardennes	24	39 Jura	84	71 Saône-et-Loire	85
09 Ariège	61	40 Landes	58	72 Sarthe	43
10 Aube	25	41 Loir-et-Cher	54	73 Savoie	79
11 Aude	68	42 Loire	77	74 Savoie (Haute)	50
12 Aveyron	65	43 Loire (Haute)	71	75 Paris	1
13 Bouches-du-Rhône	90	44 Loire-Atlantique	40	76 Seine-Maritime	35
	91 ou 42	45 Loiret	38	77 Seine-et-Marne	6
14 Calvados	31	46 Lot	65	78 Yvelines	3
15 Cantal	71	47 Lot-et-Garonne	58	79 Sèvres (Deux)	49
16 Charente	45	48 Lozère	66	80 Somme	22
17 Charente-Maritime	46	49 Maine-et-Loire	41	81 Tarn	63
18 Cher	36	50 Manche	33	82 Tarn-et-Garonne	63
19 Corrèze	55	51 Marne	26	83 Var	94
20 Corse	95	52 Marne (Haute)	25	84 Vaucluse	90
21 Côte-d'Or	80	53 Mayenne	43	85 Vendée	51
22 Côtes-du-Nord	96	54 Meurthe-et-Moselle	28	86 Vienne	49
23 Creuse	55	55 Meuse	29	87 Vienne (Haute)	55
24 Dordogne	53	56 Morbihan	97	88 Vosges	29
25 Doubs	81	57 Moselle	87	89 Yonne	86
26 Drôme	75	58 Nièvre	86	90 Territoire de Belfort	84
27 Eure	32	59 Nord	20	91 Essonne	6
28 Eure-et-Loir	37	60 Oise	4	92 Hauts-de-Seine	1
29 Finistère	98	61 Orne	33	93 Seine-St-Denis	1
30 Gard	66	62 Pas-de-Calais	21	94 Val-de-Marne	1
31 Garonne (Haute)	61	63 Puy-de-Dôme	73	95 Val-d'Oise	3

Indicatifs Postaux pour les Départements d'Outre-Mer :
971 GUADELOUPE, 972 MARTINIQUE, 973 GUYANE et 974 RÉUNION.

La zone automatique de PARIS est considéré comme un département, son indicatif est le N° **1.**

b) Si votre pays n'est pas relié à l'automatique avec la France, quel numéro demandera-t-il à la poste ? (Nice : département 06) ; si votre pays est relié à l'automatique, quel numéro composera-t-il ?

c) Même exercice pour les numéros suivants :

Dép.	Ville	N°	Dép.	Ville	N°
67	Strasbourg	35-08-71	66	Perpignan	61-14-36
30	Nîmes	84-22-91	59	Lille	54-48-12
39	Lons-le-Saunier	24-06-62	56	Vannes	66-17-88
75	Paris	525-65-11	17	La Rochelle	28-44-12
03	Moulins	44-09-67	40	Mont-de-Marsan	75-26-07

2 Compréhension et expression orales

Vous êtes à côté de quelqu'un qui téléphone. Voici ce que vous entendez. Écoutez cette personne deux fois puis imaginez et donnez les répliques de la personne qui est à l'autre bout du fil.

a) « Allô ! Réception. A votre service.
— ...
— Je peux essayer de faire le nécessaire, Monsieur.
— ...
— La dernière fois, j'ai pu les avoir au prix normal.
— ...
— C'est entendu, Monsieur, j'en prends quatre. »

b) « ...
— Est-ce que vous pouvez me réveiller à cinq heures trente ?
— ...
— Chambre 207. Vous pourrez me monter mon petit déjeuner en même temps ?
— ...
— Bon, ça ne fait rien. Je descendrai le prendre. »

c) « La réception, bonjour.
— ...
— Je ne sais pas si les journaux seront arrivés à cette heure-ci, Monsieur.
— ...
— Vers sept heures, et notre garçon de courses va les chercher vers sept heures trente.
— ...
— Oui, Monsieur, on peut se procurer les principaux journaux français.
— ...
— Bien, Monsieur. Un de chaque, plus un journal sportif.
— ...
— Bien sûr, Monsieur. Nous les monterons dans votre chambre dès qu'ils seront là. »

Situation 2 : Les communications extérieures

Actes de communication courants

1

Bruit de composition d'un numéro.

La cliente	Allô ?
Le standardiste	Ici, c'est le standard, Madame. Je viens d'appeler votre numéro, à Nice, deux fois. Il est toujours occupé.
La cliente	Ah ! C'est ennuyeux.
Le standardiste	Désirez-vous que je rappelle dans quelques minutes ?
La cliente	C'est ça. Appelez-le toutes les cinq minutes jusqu'à ce qu'il réponde.
Le standardiste	Bien, Madame.

Qui décroche ? Où le standardiste a-t-il appelé ? Combien de fois ? Que se passe-t-il ? Que va faire le standardiste ?

Redites le dialogue ; modifiez la fin : la dame est pressée et demande d'appeler encore une fois puis d'annuler.

2

La cliente	Allô ! Vous avez pu avoir Nice ?
Le standardiste	Oui, Madame, mais ça ne répond pas.
La cliente	Comment ça, ça ne répond pas ? Insistez. Il faut absolument que j'aie cette communication avant mon départ.
Le standardiste	Je vais rappeler et laisser sonner longtemps.
La cliente	N'ayez pas peur de laisser sonner. Ils sont peut-être dans le jardin. Je compte sur vous.
Le standardiste	Soyez tranquille, Madame. S'il y a quelqu'un à la maison, je vais faire en sorte que vous ayez votre numéro avant que vous partiez.

La dame vous paraît-elle impatiente ? nerveuse ? Qu'est-ce qui le montre ? La dame va-t-elle rester encore longtemps à l'hôtel ? Justifiez votre réponse. Pourquoi les correspondants n'entendent-ils pas la sonnerie, d'après la dame ? Que va faire le standardiste ?

Redites le dialogue en changeant la raison pour laquelle les gens n'entendent pas la sonnerie (l'appartement est grand, etc.).

3

Une voix	Allô ?
Le standardiste	Allô. Ici, l'*Hôtel Splendid*. Je suis au 87-84-73 à Nice ?
La voix	Oui.
Le standardiste	Ne quittez pas. On vous parle.

...

La cliente	Allô ! Alors ?
Le standardiste	J'ai pu avoir la communication avec Nice, Madame.
La cliente	Ah, merci. Vous êtes très aimable.
Le standardiste	Je vous en prie, Madame. A votre service. Parlez, Madame.

4

Le standardiste	Standard. J'écoute.
Le client	Dites-moi, vous m'avez bien passé un numéro, mais ce n'est pas le mien.
Le standardiste	Je ne vous ai pas passé Perpignan 61-14-36 ?
Le client	Peut-être, mais moi j'avais demandé Moulins 44-09-67.
Le standardiste	Je suis désolé, Monsieur. J'ai dû faire une erreur dans les numéros de chambre en notant les numéros d'appel. Excusez-moi.
Le client	Ce n'est pas bien grave, mais faites attention qu'on ne mette pas la communication sur ma note.
Le standardiste	Soyez tranquille, Monsieur. Je rappelle Moulins tout de suite. Il était occupé tout à l'heure.

Quel numéro le client désirait-il ? Quel numéro a-t-il eu ? Pourquoi le standardiste a-t-il pu se tromper ? Que demande le client ? Pouvez-vous raconter ce qui s'est passé ? Que va faire le standardiste ?

Les gaffes de Léon, standardiste

Exercices

... mais ce n'est pas le mien.

Les possessifs (5)

Vous êtes à la réception.

Une(e) client(e) vous demande :

1 Je peux prendre ces cartes ?

2 Je peux emprunter votre stylo ?

3 C'est ma clef ?

4 C'est le sac de ma femme ?

5 C'est la valise de M. Brun ?

6 Où est-ce qu'on trouve un télex ?

Vous répondez :

— Oui, Madame, ce sont les vôtres.

— Ce n'est pas..., mais vous pouvez l'utiliser.

— Non, Madame, ... est ici.

— Oui, Monsieur, je crois bien que c'est ...

— Je ne crois pas, Monsieur, ... est en cuir.

— Ici même, Monsieur, vous pouvez utiliser...

M. Driolet 20 h (cf. p. 149) → M. Driolet rappellera à 20 h.

Les expansions de la phrase (4) : expansion/réduction

Vous voulez venir travailler en France.

a) *Vous lisez les petites annonces suivantes :*

— Hôtel région S.E. ★★ cherche chef de rang 1-7 au 30-9. Salaire suivant expérience. Logé. Nourri. Écrire journal n° 22476.

— Restaurant bord de mer Marseille embauche cuisinier expérimenté pour été. Travail de nuit nécessaire. Bon salaire. Écrire avec C.V. B.P. 92 13403 AUBAGNE, etc.

Rédigez le texte complet correspondant à ces annonces.

b) *Rédigez une petite annonce pour proposer vos services.*

Je vais faire en sorte que vous ayez votre numéro...

La cause et la conséquence (3) : fait souhaité ou possible

Trouvez trois conséquences :

1 Dans leur hôtel, ils font tout leur possible de façon que .../.../...

2 Nous engageons toujours un excellent chef de manière que .../.../...

3 Nous faisons en sorte que .../.../...

Appelez-le toutes les cinq minutes jusqu'à ce qu'il réponde.

Le temps (2) : subjonctif

Trouvez une fin pour les phrases suivantes :

1 Nous vous remettrons les documents avant que ...

2 Pouvez-vous passer au salon en attendant que ...

3 Vous pouvez garder cette chambre jusqu'à ce que ...

4 Nous sommes obligés de vous donner cette table en attendant que ...

5 Je vous conseille de confirmer la réservation avant que ...

6 L'hôtel restera ouvert jusqu'à ce que ...

... avant mon départ... avant que vous partiez...

Transformation (1) Préposition + nom → conjonction + verbe

Transformez suivant le modèle :

↑ Je voudrais vous parler avant que vous partiez.

↓ Je voudrais vous parler avant votre départ.

1 Nous avons réservé la chambre dès réception de votre lettre.

2 Vous pourrez arranger cela le jour de votre venue.

3 J'ai pu avoir votre communication bien que les lignes soient encombrées.

4 L'hôtel sera fermé parce que nous faisons des travaux.

5 Nous vous l'avons remis à la suite de votre demande.

6 Le client du 208 est malade depuis qu'il est arrivé, etc.

Votre savoir-faire

● Comment assurer un bon contact au téléphone (2)

a) Voici les conseils donnés aux standardistes.

Réponse à un appel de l'extérieur

Vous ne savez pas qui vous appelle.
Pourtant vous devez répondre avec autant d'empressement que s'il s'agissait de répondre à un rendez-vous personnel.
Dès que vous décrochez l'appareil cessez toute conversation.
Prenez un bloc et un crayon pour prendre des notes.

Salutations

La sonnerie du téléphone vous commande de « mettre » votre sourire de bienvenue, même avant de savoir qui est au bout du fil.
Supposez simplement que cet appel vous apporte une grosse commande, une bonne surprise, une occasion de gagner de l'argent, des nouvelles d'un ami qui vous est cher. Naturellement, vous désirez saluer une telle personne par une cordiale bienvenue.
Eh bien, faites-le dans votre réponse. Dites : « Ici Durand de la Cie X » d'un ton aimable et souriant ; que la vivacité de votre voix dénote immédiatement votre personnalité attrayante et celle-ci rejaillira sur le bon renom de votre maison. Par une plaisante inclinaison montante de la voix, vous pouvez poser la question « Que puis-je faire pour vous ? » ou « Puis-je vous aider ? ».
Même si les nouvelles apportées ne sont pas aussi bonnes, votre façon de saluer aimablement vous les fera accepter plus facilement parce que le fait d'être aimable vous aura rendu optimiste. Par quel miracle le sourire est-il transmis par la voix ? Nous ne le savons pas mais c'est un fait ; voix agréable et sourire produisent un effet sympathique sur l'auditeur et exercent également un effet salutaire sur vous-même. Vous y gagnez deux fois. N'est-ce pas remarquable ?
Donc souriez et annoncez-vous :
« Ici Durand, service Achat, Société X ».

Sachez écouter

Et maintenant écoutez soigneusement l'interlocuteur qui vous expose son affaire, vous fait une demande, ou vous pose une question. Pensez à ce qu'on vous dit afin que vous n'ayez pas à le faire répéter, ce qui agacerait votre interlocuteur ; il pourrait croire qu'on n'a pas prêté attention à ses propos ou — pis encore — qu'on trouve maladroite sa façon de s'exprimer. Cela lui donnerait une mauvaise impression. Cependant, ne laissez jamais un renseignement important dans le vague dans la crainte de faire mauvaise impression. Ne dites jamais que vous avez mal entendu par sa faute. Si c'est nécessaire, invoquez un bruit extérieur. Si vous entendez mal votre correspondant à cause du bruit qui règne dans votre bureau, ne vous bouchez pas l'autre oreille, mais mettez la main sur le micro de votre combiné (pendant l'écoute seulement) pour éviter que ces bruits viennent se superposer à votre correspondant dans votre écouteur.

Recherche de renseignements

Si vous devez abandonner votre interlocuteur pour faire des recherches ou pour un autre motif, priez-le de ne pas couper. Si la recherche doit être longue (plus de 60 secondes), annoncez-lui que vous le rappellerez... et n'oubliez surtout pas de le faire.
Souvenez-vous toujours qu'une simple minute (60 secondes !) paraît extrêmement longue à celui qui attend.
Si vous devez faire un aparté pour obtenir ce renseignement, dites : « Voulez-vous m'excuser une minute » comme vous le feriez dans une communication personnelle, puis couvrez le microphone.

Transfert

Si vous ne pouvez satisfaire le demandeur et si vous devez l'aiguiller sur un autre service, il faut le faire très aimablement en vous excusant de l'erreur de votre standardiste, même et surtout si le demandeur avait provoqué l'erreur.
Il faut annoncer à votre interlocuteur que M. Untel du service X lui donnera de meilleurs renseignements, s'excuser de ne pouvoir le faire vous-même et lui demander d'attendre quelques secondes.

Fin de communication

Il n'est pas mauvais qu'en dehors des salutations d'usage, vous assuriez votre correspondant de toute votre bonne volonté et surtout de celle de l'entreprise.
Et si ensuite vous traitez rapidement son affaire, soyez certain qu'il se souviendra de vous et de votre entreprise, et qu'il en conservera une excellente opinion.

Sachez téléphoner. © 1972 Les Editions d'Organisation. Paris.

b) Relevez dans les conversations téléphoniques des situations 1 et 2 les façons de s'exprimer qui correspondent aux recommandations ci-dessus.

Pour aller plus loin

1 Compréhension orale

a) Vous venez d'appeler, à l'automatique, le numéro demandé par un client. Vous entendez :

« Le numéro que vous avez demandé n'est plus attribué. Veuillez consulter l'annuaire ou le centre de renseignements... Le numéro que vous avez demandé n'est plus attribué. Veuillez consulter l'annuaire ou le centre de renseignements... Le numéro... »

Pour gagner du temps, vous appelez directement le service de renseignements à Paris :
« Télécom. J'écoute.
— Bonjour, Madame.
— Oui. C'est pour quoi ?
— Je viens de faire le 329-57-92 pour avoir Monsieur Prémont et j'ai obtenu le disque qui me dit...
— P comme Pierre ou B comme Berthe ?
— Pardon ?
— Oui, la première lettre. C'est P comme celle de Pierre, ou B comme dans Berthe ?
— Ah, oui ! P comme Pierre. Et l'adresse : 12 rue de l'École-de-Médecine. C'est dans le 6ᵉ.
— Ne quittez pas. Voilà, Prémont, Jean. 12 rue de l'École-de-Médecine : 306 (deux fois trois) 07-13.
— 306-07-16.
— Non. Pas 16, 13 (six et sept).
— Pardon, Madame, 306 (deux fois trois) 07-13 (six et sept). Merci, Madame. »

b)
« *Excelsior Hôtel*. A votre service.
— Je voudrais parler à Monsieur François.
— Ne quittez pas. Je vais voir s'il est dans sa chambre (...). Je suis désolée, Monsieur, mais sa chambre ne répond pas. M. François doit être sorti. Pourtant sa clef n'est pas au tableau.
— Je ne comprends pas. Je lui avait dit que je téléphonerais à peu près à cette heure-ci. Vous ne pouvez pas voir s'il n'est pas par là ?
— Je vous demande une petite minute. Je vais voir s'il est dans le salon, ou s'il regarde la télévision. Un instant, je vous prie... Non, Monsieur, je suis vraiment navrée, mais nous n'arrivons pas à retrouver M. François. Je pense qu'il n'est pas dans l'hôtel. Voulez-vous laisser un message ?
— Non. Je rappellerai. Ou, plutôt si : dites-lui que M. Driolet, D comme Désiré, r, i, o, l, e, t rappellera à vingt heures.
— M. Driolet. 20 h. Je préviens M. François dès que possible. Au revoir, Monsieur. »

2 Compréhension écrite

Le télex

Le télex est un service de télédactylographie mis à la disposition du public, soit à partir des postes d'abonnement, soit à partir de postes publics.

● 1 MATÉRIEL ET FONCTIONNEMENT

Tout abonné à ce service dispose, à son domicile, d'un téléimprimeur ou « printer ». Cet appareil, qui ressemble à une machine à écrire, comporte un clavier de frappe et un rouleau de papier sur lequel s'impriment automatiquement messages et conversations grâce aux impulsions électriques reçues par la machine.
Pour se mettre en rapport avec un abonné, il suffit de frapper son numéro d'appel sur le clavier. La communication s'établit automatiquement. On reçoit, en retour, l'indicatif du poste demandé qui s'imprime en noir sur le rouleau de papier. L'abonné appelant a deux modes d'utilisation à sa disposition.
Si le correspondant est absent, il transmet un simple message, en France ou à l'étranger, à n'importe quelle heure, dans la langue de son choix.
S'il est prêt à engager la conversation, le processus se développe fort simplement : ce que nous lui disons s'imprime en rouge sur notre machine et sa réponse s'imprime en noir. Quel que soit le mode utilisé, le demandeur et le demandé disposent du texte imprimé de leurs échanges.

● 2 APPLICATION A L'HOTELLERIE

Dès à présent, les directeurs d'hôtels importants connaissent tout le parti qu'ils peuvent tirer du télex. Il permet :
de satisfaire une clientèle d'hommes d'affaires habitués à ce système rapide de communication ;
de développer les relations de l'hôtel avec :
● les clients français ou étrangers qui désirent obtenir des réservations urgentes,
● les agences de voyage,
● les hôteliers abonnés.
Le télex, service d'avenir, est en plein essor. Actuellement il se révèle déjà extrêmement utile, mais le nombre des abonnés étant en rapide croissance, on pourra compter de plus en plus sur son évidente efficacité. Il contribuera à faciliter le développement du tourisme dans l'ensemble du pays et celui des relations internationales.

Ph. Mazzetti et M.-L. Francillon, *Technologie Hôtelière*, J. Lanore.

3 Traduction

Traduisez le texte ci-dessus.

Touristix mène l'enquête (suite de la p. 112 : à suivre p. 172)

Partie 4

Correspondance hôtelière

Chapitre 1 **Renseigner**
situation 1 : Demandes de renseignements d'ordre
général
situation 2 : Demandes de renseignements particuliers

Chapitre 2 **Réserver, confirmer, annuler, modifier**

Chapitre 3 **Correspondance après le séjour**

Chapitre 4 **Cas professionnels**
situation 1 : Avec des particuliers
situation 2 : Avec des entreprises

Chapitre 1 : Renseigner

Situation 1 : Demandes de renseignements d'ordre général

1 Lettre

a/du client à l'hôtel

Messieurs,

Je désire passer mes vacances avec ma famille dans votre région. Je vous serais, en conséquence, obligée de bien vouloir me faire parvenir une documentation sur votre hôtel et les conditions de séjour.

Je vous en remercie à l'avance et vous prie de croire, Messieurs, à ma considération distinguée.

A. M. Béraud

Qui écrit? Un homme ou une femme? Adresserez-vous votre réponse à « Monsieur » ou « Madame » A.M. Béraud?

b/réponse de l'hôtel

Madame,

En réponse à votre lettre du 14 février, veuillez trouver ci-joint un dépliant vous donnant tous les détails sur les conditions de séjour dans notre hôtel.

Nous restons à votre disposition pour vous fournir tous renseignements complémentaires, et vous prions d'agréer, Madame, l'expression de nos sentiments dévoués.

Le Directeur

M. Déchaud

Comment Madame Béraud commence-t-elle sa lettre? Et Monsieur Déchaud?

2 Télex

a/envoyé à l'hôtel

BONJOUR . PRIERE ENVOYER URGENCE TOUTE DOCUMENTATION SUR HOTEL, CONDITIONS DE SEJOUR GROUPES OU INDIVIDUS, DIVERSES PERIODES DE L ANNEE. URGENT. SALUTATIONS.

b/réponse de l'hôtel

BONJOUR. SUITE VOTRE TELEX CE JOUR, ENVOYONS PAR COURRIER EXPRES DOCUMENTATION DEMANDEE. TELEPHONERONS APRES-DEMAIN POUR DONNER PRECISIONS NECESSAIRES. SALUTATIONS

Comment commence-t-on un télex? Comment le termine-t-on? Rédigez sous forme de lettre les deux télex ci-dessus.

3 Les différentes parties d'une lettre

a/la vedette (adresse, présentée « à la française »)

Lignes	Lettre à un particulier	Lettre à une entreprise
1re	{ Monsieur / Madame / Mademoiselle } Prénom NOM	NOM de l'entreprise
2^e	(rien)	(rien)
3^e	N°, nom de la rue	N°, nom de la rue
4^e	(rien)	B.P.
5^e	Code postal VILLE	(rien)
6^e		Code postal VILLE CEDEX

```
Monsieur Denis BOUDET
72, Avenue du Général Leclerc
58000 NEVERS
```

```
Etablissements VALLIER
17, Boulevard A. Dumas
B.P. 261
740024 ANNECY CEDEX
```

b/les références

Sur une lettre française, vous verrez :

```
VOS REFERENCES : F.M./L.S. 2763
NOS REFERENCES : P.T./A.D.  549
```
ou :
```
Vos réf. : F.M./L.S. 2763
Nos réf. : P.T./A.D.  549
```

Les premières initiales (F.M. ou P.T.) sont celles de la personne qui a dicté la lettre, les autres, celles de la personne (ou du service) qui l'a envoyée.

c/la date

En France, on écrit la date de la façon suivante :
1re ligne : (lieu, ville)   2e ligne : *le* (jour, mois, année)
• N'oubliez pas la virgule après le nom de lieu.
• Écrivez *1er*, mais 2, 3, etc., *11, 21, 31*.
• N'écrivez pas *Juin*, mais *juin*.

```
Marseille,
le 12 juin 1980
```

d/l'appel

Si la première ligne de la vedette est :	L'appel sera :
une personne privée	Monsieur, Madame ou Mademoiselle,
le nom d'une entreprise	Messieurs,
un responsable désigné par sa fonction	Monsieur le... (titre),

L'appel se finit toujours par une virgule ; il n'y a jamais d'abréviations.

e/la formule de salutation

• Vous écrivez à un client : Veuillez agréer, Monsieur[1], l'expression de nos sentiments dévoués.
• Vous écrivez à un fournisseur : Veuillez agréer, Messieurs, l'expression de notre considération distinguée.

N.B. On trouvera une étude détaillée de la présentation des lettres « à la française » dans *Le français du secrétariat commercial* par Dany, Geliot, Parizet (Hachette éd.) et en particulier des exercices sur les rubriques ci-dessus aux pages : 17, 22, 40, 47, 70 et 92.

---

1 Même titre que dans l'appel.

4 Lettre circulaire

Lettre pour l'envoi d'une documentation :

RELAIS DE LA POSTE ★★★ NN

REPOS ET CALME   RESTAURANT RÉPUTÉ

14, rue des Thermes

Tél. : (84) 40-12-38   70300 LUXEUIL-LES-BAINS

Monsieur et Madame Paul SENAT
26, rue de la République
45200 MONTARGIS

Vos réf. : /

Nos réf. : 13.V/M.C. 47   Luxeuil,
                                           le 13 mars 1981

Objet : envoi de documentation

P.J. : 2 dépliants

Madame,
Monsieur,

    Vous avez sans doute appris par la presse l'effort de renouvellement touristique accompli par la station de Luxeuil-les-Bains. Vous en trouverez les grandes lignes dans un des deux dépliants ci-joints. L'ensemble des possibilités ainsi offertes ne pourra que rendre plus agréable le séjour de nos hôtes dans la station.

    Notre hôtel, le Relais de la Poste, est l'un des plus anciens de la ville. C'est aussi l'un de ceux qui sont dotés des équipements et du confort les plus modernes ; c'est enfin celui qui est situé dans le cadre le plus agréable et le plus calme. Le dépliant ci-joint vous donnera le détail de ses aménagements et les conditions, très étudiées, de séjour.

    Nous serons heureux de vous fournir toutes précisions utiles et espérons avoir le plaisir de vous accueillir dans notre hôtel.

    Veuillez agréer, Madame, Monsieur, l'expression de nos sentiments dévoués.

Le Directeur

B. VIALLAT

- Qui envoie la lettre ? Qui la recevra ?
- Combien y a-t-il de « références » ? Pourquoi ?
- Qu'est-ce qui est envoyé en même temps que la lettre ? Où cela est-il dit ?

- Faites le catalogue des principales caractéristiques d'hôtels que vous connaissez et des villes où ils se trouvent. Rédigez les lettres d'envoi de dépliants sur la ville et sur l'hôtel.

5 Disposition d'une lettre « à la française »

Voici comment sont disposées, en France, les différentes parties d'une lettre, suivant la norme NF Z 11.001.

```
┌─────────────────────────────────────────────────────────┐
│        ┌──────────────────────────────────────┐          │
│        │              en-tête                  │          │
│        └──────────────────────────────────────┘          │
│                                                           │
│                        ┌──────────────────────────┐      │
│                        │         vedette           │      │
│                        └──────────────────────────┘      │
│    ┌─────────────────────────┐                            │
│    │   références            │   ┌──────────────────┐     │
│    └─────────────────────────┘   │      date        │     │
│    │ objet                   │   └──────────────────┘     │
│    ├─────────────────────┐                                │
│    │ pièces jointes     │                                 │
│    └────────────────────┘                                 │
│    ┌──────────────┐                                       │
│    │  appel       │                                       │
│    └──────────────┘                                       │
│    ┌─────────────────────────────────────────────────┐   │
│    │                                                 │   │
│    │              corps de la lettre                 │   │
│    │                                                 │   │
│    │                                                 │   │
│    │                                                 │   │
│    └─────────────────────────────────────────────────┘   │
│                        ┌──────────────────────────┐      │
│                        │        signature          │      │
│                        └──────────────────────────┘      │
└─────────────────────────────────────────────────────────┘
```

• Ditcs où se trouve chacune des parties d'une lettre ; utilisez les mots : en haut (de) / en bas (de) ; à droite (de) / à gauche (de) ; au-dessus (de) / au-dessous (de).
• Mettez en page, suivant la norme NF Z 11.001, toutes les lettres des pages 152, 153 et 154. Imaginez les rubriques qui manquent.

Situation 2 : Demandes de renseignements particuliers

1 Le nombre de personnes, les dates, les prix

a/lettre du client à l'hôtel

Messieurs,

Je vous serais obligé de bien vouloir me faire savoir si vous pourriez recevoir dans votre hôtel, et à quelles conditions, une famille de cinq personnes (les parents et trois enfants) du 13 au 28 juillet en pension complète.

Je vous remercie de répondre rapidement et vous prie d'agréer, Messieurs, l'expression de ma considération distinguée.

b/réponse de l'hôtelier

1 L'hôtel ne peut pas accepter le client :

Monsieur,

Nous avons bien reçu votre lettre du 9 juin dernier et vous remercions de la confiance que vous nous témoignez. Malheureusement il ne nous sera pas possible de vous recevoir dans notre hôtel, qui est déjà complet pour les dates que vous nous indiquez.

Nous vous en disons nos regrets et espérons avoir le plaisir de vous accueillir à une autre occasion.

Veuillez agréer, Monsieur, l'expression de nos sentiments dévoués.

2 L'hôtel peut accepter le client :

Monsieur,

Nous avons bien reçu votre lettre du 9 juin dernier et serons heureux de vous accueillir du 13 au 28 juillet. Nous pourrons vous loger dans deux chambres communicantes au prix de 180 F par jour et par personne T.T.C., en pension complète ; les enfants au-dessous de six ans paient demi-tarif.

Compte tenu de la date à laquelle nous sommes, nous vous demandons de bien vouloir confirmer votre venue par retour du courrier.

Nous vous en remercions et vous prions d'agréer, Monsieur, nos sentiments dévoués.

Vous répondez à la lettre ci-dessus :
● vous ne pouvez pas accueillir les clients parce qu'il ne reste qu'une chambre pour trois personnes ;
● vous ne pouvez accepter cette famille que du 13 au 20 juillet ;
● vous ne pouvez loger cette famille que dans des chambres séparées, mais dans le même couloir.

2 Types de conditions

a/lettre du client à l'hôtel :

Messieurs,

Veuillez me faire savoir, par retour, vos conditions de tarif en pension complète, demi-pension et chambre seule, avec petit déjeuner, pour la période de la 2e quinzaine de mai.

Je vous prie d'agréer, Messieurs, l'expression de ma considération distinguée.

b/réponse de l'hôtel :

1 Monsieur,

En réponse à votre lettre du 12 avril, nous avons l'honneur de vous informer que notre hôtel n'a pas de restaurant et qu'en conséquence nous ne pouvons assurer ni la pension complète, ni la demi-pension. Les prix de nos chambres varient de 40 à 130 F suivant le confort, sans petit déjeuner.

Nous espérons avoir le plaisir de vous accueillir dans notre hôtel et vous prions d'agréer, Monsieur, l'expression de nos sentiments dévoués.

2 Monsieur,

En réponse à votre lettre du 12 avril, nous vous informons qu'il ne nous est malheureusement pas possible de prendre des hôtes en demi-pension. Pour un séjour, nos prix de pension complète sont de 240 F par jour et par personne, boisson non comprise. Nous réservons quelques chambres à 140 F la nuit, petit déjeuner compris, pour nos clients de passage. Ces prix s'entendent taxes et services compris.

Nous espérons...

3 Monsieur,

Nous avons bien reçu votre lettre du 12 avril et sommes heureux de vous communiquer ci-dessous nos tarifs qui varient suivant le type de chambre que vous souhaitez :
— pension complète : 144 à 160 F, T.T.C., service compris, boisson en sus ;
— demi-pension : 125 à 140 F, service et taxes compris, boisson en sus ;
— chambres : de 90 à 105 F, T.T.C. ; petit déjeuner 9 F.

Nous restons à votre disposition... et espérons avoir le plaisir...

Veuillez agréer, Monsieur,...

• Renseignez-vous sur les conditions et les tarifs de divers hôtels de votre ville (chambre avec ou sans petit déjeuner, pension complète, demi-pension, taxes comprises ou non comprises, etc.).
• Pour chacun de ces hôtels, vous rédigez la réponse à la lettre ci-dessus.

3 Types de chambres

a/lettre du client :

Messieurs,

Je vous serais reconnaissante de me communiquer dès que possible les tarifs pour vos divers types de chambres pour deux personnes.

Je vous remercie et vous prie d'agréer,...

b/réponse de l'hôtel :

Madame,

Comme suite à votre lettre du 1er février, veuillez trouver ci-dessous les tarifs pour les différents types de chambres que nous proposons :
— chambre double, avec cabinet de toilette : 50 à 70 F ;
— chambre double, avec bain ou douche : 85 à 105 F ;
— chambre double, avec bain ou douche et w.-c. : 120 à 145 F.

Ces prix s'entendent service et taxes compris, mais sans le petit déjeuner (petit déjeuner complet : 10 F).

Nous serons heureux de vous accueillir dans notre hôtel et vous prions d'agréer, Madame,...

Renseignez-vous sur les prix des divers types de chambres dans les hôtels de votre ville et répondez, pour chaque hôtel, à la lettre ci-dessus.

a/lettre du client :

Messieurs,

Je devrai me rendre à plusieurs reprises dans votre ville pour de brefs séjours dans les mois qui viennent. Je désirerais :
— connaître vos tarifs pour une chambre confortable avec bain et w.-c. ;
— savoir si votre hôtel est situé dans un quartier tranquille et si les chambres sont calmes.

Je vous prie...

b/réponse de l'hôtel :

Monsieur,

Nous avons bien reçu votre lettre du 21 avril et espérons avoir le plaisir de vous accueillir dans notre hôtel lors de vos prochains séjours dans notre ville.

Nous n'avons aucune de nos chambres équipées avec bain et w.-c. mais nous pouvons vous recevoir dans des chambres très confortables, refaites récemment, avec douche et w.-c. à 122 F la nuit, taxes, service et petit déjeuner compris. Elles donnent toutes sur le jardin de l'hôtel, lui-même situé dans un quartier très calme, en particulier la nuit.

Nous restons à votre...

Imaginez d'autres cas où l'hôtel ne peut donner ce qui est demandé et rédigez les lettres.

4 Lettres d'habitués
a/du client à l'hôtel :

Cher Monsieur Dumontet,

Cette année encore nous avons l'intention de venir, pour la deuxième quinzaine de juin, dans votre hôtel. Pouvez-vous nous réserver notre chambre habituelle, avec bain et w.-c., donnant sur le parc, à partir du 16 juin ? Nous comptons repartir le 28 ou le 29.

Nous vous disons le plaisir que nous aurons à nous retrouver chez vous et vous prions d'agréer, cher Monsieur Dumontet, l'expression de nos sentiments les meilleurs.

b/de l'hôtel au client :

Cher Monsieur,

Nous avons bien reçu votre lettre du 3 mai et nous réjouissons de vous accueillir, comme chaque année, à compter du 16 juin.

Nous vous réservons dès maintenant votre chambre habituelle, le 306, et serons heureux d'apporter un soin particulier à l'agrément et au confort de votre séjour.

ou : Nous apporterons un soin particulier à l'agrément et au confort de votre séjour. Toutefois, il ne nous sera malheureusement pas possible de vous donner votre chambre habituelle, le 306 ; en effet, cette partie de l'hôtel sera en travaux à ce moment-là, et vous trouverez l'année prochaine une chambre entièrement aménagée à neuf. Nous vous réservons dès maintenant la chambre 324, au même étage, avec douche et w.-c., très vaste et confortable et donnant, elle aussi, sur le parc. Nous vous remercions à l'avance de bien vouloir comprendre la nécessité de ce petit changement.

Nous envisageons avec grand plaisir votre prochaine venue et vous adressons, ainsi qu'à Madame Favet, notre souvenir le meilleur et nos sentiments les plus dévoués.

● Comparez la formule de politesse et l'appel de ces lettres avec ceux des lettres des pages précédentes.
● Rédigez les lettres correspondant aux situations suivantes :

Le client a d'habitude :	Vous proposez :	Raison :
une chambre avec douche et w.-c.	une chambre avec douche seule	La réservation est faite trop tard.
une chambre sur le parc	une chambre sur la cour de service	Travaux sur le parc.
une chambre avec balcon	la même chambre avec fenêtre	Un client occupe la chambre à l'année.
une chambre avec cabinet de toilette	une chambre avec douche	L'hôtel n'a plus de chambre avec c.t. ; vous ferez un prix de faveur.
une chambre au 1er étage	une chambre au 2e étage	Tout le 1er étage est en travaux.
une chambre sur le jardin, au rez-de-chaussée	la même chambre au premier	Tout le rez-de-chaussée a été transformé en salons.

Pour chacune de ces situations, essayez de trouver également le bon côté du changement proposé. Ex. : la chambre ne peut pas être donnée au rez-de-chaussée, mais celle du

1er étage sera certainement plus tranquille. Il y a l'ascenseur et le client pourra profiter de l'agrément des nouveaux salons aménagés au rez-de-chaussée. Etc.

5 Synthèse

Imaginez diverses possibilités de réponses aux deux lettres ci-dessous et rédigez les lettres correspondantes :

---

a/Messieurs,

Ma femme et moi avons l'intention de passer une semaine en bord de mer, soit à partir du 25 mai, soit à partir du 1er juin. Nous aimerions avoir des renseignements sur :

1 la situation de votre hôtel[1] ;
2 les tarifs d'une chambre (bain et w.-c.) et petit déjeuner, en demi-pension et en pension complète.

Nous vous remercions à l'avance et vous prions...

---

b/Messieurs,

Nous comptons séjourner dans votre ville du 22 au 29 octobre prochain et désirons connaître vos conditions pour un séjour de cinq personnes (ma femme, nos deux enfants — 5 et 12 ans — ma belle-mère et moi-même) nécessitant trois chambres :
— en chambres seules, demi-pension et pension ;
— suivant le type de chambre.

Nous vous remercions...

---

6 Télex

a/de l'entreprise à l'hôtel :

Bonjour. Désirons connaître conditions chambres individuelles pour 4 personnes, avec petit déjeuner, 3 nuits du 17 février soir au 20 matin. Salutations.

b/de l'hôtel à l'entreprise :

Bonjour. Votre télex de ce jour. Chambre bain w.-c., taxes, service, petit déjeuner compris 144 F/nuit. Forfait 550 F net pour 4 personnes 3 nuits. Salutations.

- Rédigez les deux télex ci-dessus sous forme de lettres.
- Rédigez les lettres des pages 156-160 sous forme de télex.

---

1 Cf. chapitre 1, section 2, situation 1.

Chapitre 2 : Réserver, confirmer, annuler, modifier

1 Réserver et confirmer

a/la confirmation correspond à la réservation

1 Messieurs,

Je vous remercie de votre lettre du 8 mai et vous demande de me réserver une chambre (avec douche et w.-c.) pour une personne, en pension complète, au prix de 172 F par jour, prix net, T.T.C.

Sauf imprévu, j'arriverai le 29 mai au soir et compte rester jusqu'au 3 juillet.

Je vous prie d'agréer, Messieurs...

2 Mademoiselle,

Nous avons bien reçu votre lettre du 12 courant et vous en remercions.

Nous avons réservé à votre intention, avec grand plaisir, du 29 mai au 3 juillet, une chambre avec douche et w.-c., au prix de 172 F par jour, T.T.C., en pension complète.

En attendant le plaisir de vous accueillir, nous vous prions d'agréer, Mademoiselle...

b/la confirmation ne correspond pas à la réservation

1 Messieurs,

Comme suite à l'envoi de votre documentation, nous vous prions de réserver pour ma femme, moi-même et nos deux fils, deux chambres avec douche et w.-c., l'une à deux lits, l'autre à un lit à deux places du 19 décembre au soir au 3 janvier au matin.

Une prompte confirmation de votre part nous obligerait.

Nous vous prions d'agréer...

2 Monsieur,

En réponse à votre aimable lettre du 30 novembre, je suis au regret de vous faire savoir que nous ne disposons plus que d'une seule chambre avec douche et w.-c. pour la période du 19 décembre au 3 janvier.

Toutefois, nous vous proposons de réserver à votre intention deux chambres communicantes, l'une avec douche et w.-c., l'autre avec un cabinet de toilette. Les deux chambres sont à un grand lit. Le prix de demi-pension sera alors de 155 F par personne.

Vous nous obligeriez en nous confirmant votre accord par retour du courrier car nous recevons chaque jour de nombreuses demandes.

Dans l'attente de votre décision, nous vous prions...

En vous inspirant du tableau de la page 159, imaginez des situations où la confirmation ne correspondra pas à la réservation et rédigez les lettres correspondantes.

c Télex

1 de l'entreprise à l'hôtel :

Bonjour. Prière réserver pour M. et Mme AUCLAIR une chambre deux lits, bain, salon, du 14 au 20 janvier. Facturer toutes prestations à SAVY et Cie, Service Relations Publiques, 12 rue du Moulin, B.P. 67-42 - 68054 Mulhouse. Salutations.

2 de l'hôtel à l'entreprise :

Bonjour. Suite votre télex ce jour, réservons chambre deux lits, salle de bains, salon, au prix de 320 F par jour, pour 2 personnes, du 14 au 20 janvier au nom de M. et Mme AUCLAIR. Avons pris bonne note vos instructions. Apporterons toute attention à vos invités. Salutations.

- Rédigez les deux télex ci-dessus sous forme de lettre.
- Rédigez les lettres de la page 161 sous forme de télex.

2 Annuler - modifier

a/Annulation pure et simple longtemps à l'avance

1 Messieurs,

Je suis au regret de vous informer que, pour des raisons impératives, il ne me sera pas possible d'effectuer le séjour que j'avais prévu dans votre hôtel du 25 mai au 18 juin prochain.

Je m'en excuse et vous prie d'agréer...

2 Madame,

Nous avons bien reçu votre lettre du 19 mars, annulant la réservation que vous aviez faite pour la période du 25 mai au 18 juin. Nous regrettons de ne pas vous recevoir à cette occasion et espérons avoir le plaisir de vous accueillir pour un prochain séjour.

Nous vous prions d'agréer...

b/Annulation pure et simple au dernier moment

1 Messieurs,

Un brusque accident de santé de ma femme nous oblige, au dernier moment, à renoncer à nos vacances. Nous sommes en conséquence contraints d'annuler la réservation pour quatre personnes que nous avions faite du 10 au 31 juillet. Je suis conscient des inconvénients que ceci peut entraîner pour vous mais j'espère que vous comprendrez qu'il s'agit d'un cas de force majeure.

Je vous prie d'agréer...

2 Monsieur,

Nous vous remercions de votre lettre du 1er juillet et regrettons vivement que l'état de santé de votre femme vous empêche de prendre vos vacances comme prévu.

Il est certes toujours ennuyeux de recevoir des annulations, à la dernière minute, mais nous comprenons qu'il s'agit d'un cas de force majeure et espérons avoir le plaisir de vous accueillir lors d'un prochain séjour.

Nous adressons nos vœux de guérison à votre femme et vous prions d'agréer...

c/Annulation avec demande de report à une date ultérieure

Monsieur,

Nous avons bien reçu votre lettre du 10 juin nous informant que des circonstances professionnelles imprévues empêcheront votre séjour prévu dans notre hôtel du 15 au 31 août, et nous demandant de reporter les réservations (1 chambre 2 personnes avec bain, 1 chambre pour une personne avec c.t., en pension complète) du 2 au 14 septembre.

Nous sommes heureux de pouvoir vous confirmer que le report que vous demandez est possible et vous disons le plaisir que nous aurons à vous accueillir à partir du 2 septembre.

ou :   Nous sommes au regret de devoir vous dire que le report demandé est malheureusement impossible, toutes nos chambres étant réservées à la période indiquée. Nous espérons pouvoir vous accueillir lors d'un prochain séjour.

ou :   Nous effectuerons volontiers le report demandé, mais il ne nous sera pas possible de réserver une chambre pour une personne avec cabinet de toilette. Vous pouvez disposer d'une chambre avec douche au prix de pension de 137 F par jour T.T.C. Nous vous serions obligés de confirmer votre accord par retour du courrier, car nous recevons chaque jour de nombreuses demandes.

Nous vous prions d'agréer...

Imaginez des cas d'annulations et de modifications :
• portant sur des réservations que vous déterminerez (nombre de personnes, types de chambres, conditions, durée de séjour, etc.) ;
• pour des raisons que vous précisez (état de santé, deuil dans la famille, circonstances familiales, circonstances professionnelles, le nombre de personnes diminue ou augmente, on veut la demi-pension au lieu de la pension complète, etc.) ;
• suivant les modalités que vous choisissez :
— le client annule (à l'avance, au dernier moment), demande un report de date, des modifications, etc. ;
— l'hôtelier peut/ne peut pas donner satisfaction, fait une autre proposition, etc.

Écrivez pour chaque cas les lettres de réponse de l'hôtelier.

Chapitre 3 : Correspondance après le séjour

1 Télex

a/de l'entreprise à l'hôtel :

Bonjour. Concerne séjour M. et Mme DUFOUR, invités Société APEMA. Madame DUFOUR a égaré broche or et pierres. Si trouvée, envoyer d'urgence à APEMA - B.P. 216 - 76206 DIEPPE CEDEX. Sinon pouvez-vous faire recherches. Merci. Salutations.

b/de l'hôtel à l'entreprise :

1 Bonjour. Votre télex ce jour concernant perte broche Mme DUFOUR. Broche retrouvée et envoyée ce jour paquet exprès recommandé votre adresse. Salutations.

2 Bonjour. Suite votre télex ce jour concernant Mme DUFOUR regrettons, aucune broche trouvée. Faisons recherches et vous tenons informés. Si la broche est retrouvée, envoi immédiat suivant instructions. Salutations.

Imaginez divers objets qui ont pu être oubliés ou égarés par Monsieur et Madame DU-FOUR et rédigez les télex correspondants.

2 Lettres

a/Envoi d'une note à une entreprise

1 Messieurs,

Veuillez trouver ci-joint la note d'hôtel concernant le séjour de vos invités, Monsieur et Madame PIALAT, du 14 au 22 mars. Conformément à vos instructions, nous avons porté sur la note toutes les prestations fournies. Le montant de 3 692 F peut nous être versé par virement bancaire.

Nous vous remercions vivement d'avoir porté votre choix sur notre hôtel et vous assurons que les clients que vous voudrez bien nous recommander à l'avenir feront l'objet de tous nos soins.

Nous vous prions d'agréer, Messieurs...

Renseignez-vous sur le ou les meilleurs moyens de faire effectuer dans votre pays le règlement d'une facture depuis divers pays francophones.
Imaginez diverses situations où des entreprises de pays francophones ont eu des invités dans un hôtel de votre pays :

— pays francophones où se trouvent les entreprises ;
— nombre d'invités, durée et prix de séjour ;
— modalités (prise en charge de tout ou partie des prestations) ;
— mode de règlement proposé.

Écrivez les lettres correspondantes.

---

2 Messieurs,

Le 3 octobre, vous avez réservé une chambre avec douche et w.-c. pour votre collaborateur Monsieur Courhet, en nous annonçant son arrivée le mardi 17 octobre à 23 heures.

Monsieur Courhet, sans nous prévenir, ne s'est pas présenté à notre hôtel. Nous avons refusé du monde ce soir-là, mais n'avons pas pu louer la chambre après 23 heures. Aussi sommes-nous au regret de vous réclamer l'indemnité de 60 % du prix de la chambre prévue en pareil cas, soit : 92 F 40 pour la nuit.

Nous vous remercions du soin que vous apporterez au règlement de cette note, et vous prions d'agréer...

---

b/Courrier à faire suivre

---

1 Monsieur,

En réponse à votre lettre du 4 novembre, nous vous informons que, jusqu'à ce jour, nous n'avons pas reçu de courrier pour vous.

Nous avons pris bonne note de vos instructions et ferons suivre sans délai toute lettre qui arrivera à votre nom.

Nous vous prions d'agréer...

---

2 Madame,

Nous avons bien reçu votre lettre du 3 mai nous donnant des instructions pour réexpédier votre courrier.

Nous faisons suivre, aujourd'hui même, à l'adresse indiquée, trois lettres arrivées à votre nom.

Nous vous prions d'agréer...

---

c/Rappel pour une note impayée

Monsieur,

Nous nous permettons de vous rappeler la note d'hôtel relative à votre séjour du 8 au 14 avril dernier dont le solde de 652 F est resté impayé.

Nous supposons qu'il s'agit d'un oubli de votre part et vous prions de bien vouloir nous faire parvenir ce montant sans retard.

Nous vous prions d'agréer...

Pour écrire en France

Les codes postaux. Les départements français

En général le code postal, composé du numéro du département et suivi de :

— 3 zéros   désigne la ville principale du département avec distribution normale :

— 2 zéros et 1 chiffre }   désigne la ville principale du département
— 1 zéro et 2 chiffres }   avec distribution CEDEX

Exemples :

42000 désigne
SAINT-ÉTIENNE
(distribution normale)

42 est le n° du département de la Loire ;

42001, 42013 désignent
SAINT-ÉTIENNE
(distribution Cedex)

St-Étienne est la ville principale
du département de la Loire.

Les départements limitrophes de Paris

On vous a donné des renseignements incomplets et vous devez trouver :

1 Quel est le code postal pour : Montpellier, Dijon CEDEX[1], Orléans CEDEX[1], Versailles, Châteauroux, Tours CEDEX[1], Caen CEDEX[1], Chambéry ?

2 Quelle ville est indiquée par le code postal : 66000 ; 38012 ; 40000 ; 49008 ; 91000 ; 03000 ; 94000 ; 87035 ?

1 Donnez plusieurs possibilités.

Chapitre 4 : Cas professionnels

Situation 1 : Cas professionnels avec des particuliers

Date	Exp.[1]	Cas n° 1
2-10	P	Une dame[2] écrit à un hôtel[2] pour réserver pour trois nuits, à compter du 27-10, une chambre avec douche et w.-c. si le prix est inférieur à 150 F net, petit déjeuner, taxes et service compris.
4-10	H	Confirme la réservation d'une chambre donnant sur le devant à 142 F net.
9-10	P	La cliente informe qu'elle est obligée d'avancer son séjour : trois nuits à partir du 19.
11-10	H	Confirmation de la nouvelle réservation ; la chambre sera peut-être avec bain et w.-c., mais le prix restera le même.
23-10	P	La cliente écrit pour que l'on fasse suivre son courrier, s'il y en a.
25-10	H	Une lettre est arrivée ; on l'a réexpédiée ; on fera suivre tout autre courrier.

		Cas n° 2
12-4	P	Un client[2] écrit à un hôtel[2] ; demande de conditions pension et demi-pension du 17-7 au 8-8 pour six personnes (parents, trois enfants, grand-père), chambres double et simple avec douche et w.-c., chambre à trois avec bain et w.-c.
17-4	H	Conditions : chambre double (jardin) : 162 F / demi-pension 192 F / pension, par personne. chambre 1 personne (jardin) : 167 F / demi-pension 197 F / pension chambre pour 3 (devant) : 145 F / demi-pension 170 F / pension, par personne. Réserver dès que possible ; chambres retenues pendant 10 jours.
21-4	P	Le client choisit la demi-pension et rappelle les conditions.
25-4	H	L'hôtelier confirme et donne à nouveau tous les éléments.
12-8	P	Le client écrit pour demander si on n'a pas trouvé un tricot d'enfant.
16-8	H	Rien n'a été trouvé ; on va faire des recherches et envoyer immédiatement le vêtement, si retrouvé.

		Cas n° 3
21-6-80	H	Lettre circulaire d'un hôtel[2] jointe au tarif pour la période de Noël.
6-7-80	P	Un client[2] se réfère au tarif et réserve chambre pour deux personnes, sur le parc, bain, dressing, balcon, 255 F / nuit (petit déjeuner, T.T.C.) du 20-12 au 29-12-80.
10-7-80	H	L'hôtel ne peut donner la chambre ; propose soit : douche, sans dressing, avec balcon à 205 F ; soit bain, avec dressing, sans balcon, à 235 F ; soit bain, dressing, balcon mais sur le devant à 240 F. Réponse urgente.
15-7-80	P	Le client choisit la chambre à 235 F.
22-7-80	H	Confirmation de l'hôtel qui rappelle les conditions.
4-2-81	H	En partant, le client n'a pas pu payer toute la note ; l'hôtel écrit pour réclamer le solde.

1 P = Particulier   H = Hôtelier   2 Précisez nom et adresse.

Suggestions de rédaction de lettres[1] pour le cas n° 1

De la cliente à l'hôtel

Messieurs,

Je vous serais obligée de bien vouloir réserver à mon nom, pour trois nuits à compter du 27 octobre prochain, une chambre avec douche et w.-c. Je vous demande de ne faire la réservation que si le prix par nuit, petit déjeuner, taxes et service compris, est inférieur à 150 F.

Dans l'espoir d'une prompte confirmation, je vous prie...

Messieurs,

Me référant à notre précédente correspondance des 2 et 4 octobre, j'ai l'honneur de vous informer que des circonstances imprévues m'obligent à avancer mon voyage.

Je vous demande en conséquence de bien vouloir avancer la réservation du 19 au 22 courant (au lieu du 27 au 30).

Dans l'espoir qu'il vous sera possible d'effectuer la modification demandée, je vous prie d'agréer...

Messieurs,

Comme j'ai dû avancer mon séjour chez vous, il est possible que du courrier soit arrivé à mon nom après mon départ. Je vous remercie de bien vouloir me le faire suivre sans tarder et vous prie...

De l'hôtel à la cliente

Madame,

Nous avons bien reçu votre lettre du 2 octobre et serons heureux de vous accueillir dans notre hôtel. Nous avons réservé à votre intention du 27 au 30 octobre une chambre sur le devant, avec douche et w.-c., à 142 F la nuit, prix net, petit déjeuner compris.

Nous vous prions d'agréer, Madame...

Madame,

Nous vous remercions de votre lettre du 9 octobre et avons pris bonne note de la modification demandée. La réservation à votre nom est avancée au 19 pour trois nuits. La chambre sera peut-être avec bain et w.-c., mais nous vous consentirons le même prix de 142 F par nuit.

Madame,

Comme suite à votre lettre du 23 octobre, nous vous informons qu'une lettre arrivée à votre nom ce même jour a été immédiatement réexpédiée à votre adresse. Nous ne manquerons pas d'en faire de même pour tout autre courrier vous concernant.

---

1 Les rédactions proposées ne sont évidemment pas les seules possibles.

Situation 2 : Cas professionnels avec des entreprises

Date	Exp.[1]	Envoi[1]	Cas nº 1
8-1	E	L	L'Entreprise Générale ·de Construction Moderne (18 bd Lafayette - B.P. 61 - 63003 Clermont-Ferrand Cedex) écrit à l'Hôtel de France, 16 rue Berlioz 13001 Marseille[2] pour demander les conditions pour des séjours réguliers pour des collaborateurs, représentant 8 à 10 nuits par mois, chambre tranquille, douche, w.-c., petits déjeuners, T.T.C. ; réponse rapide, voyages vont commencer sous peu.
12-1	H	L	Accepte et remercie ; donne les tarifs des chambres ; paiements mensuels ; remise de 8 % si 10 nuitées/mois ou plus ; nº de télex (récent) : 940 682 F.
4-2	E	T	Réservation : M. Leroy 2 nuits du 10-2 au 12-2.
4-2	H	T	Confirmation.
7-2	E	T	M. Leroy repousse de 2 jours ; restera 5 nuits (12-2 au 17-2) ; M. Dupuis vient à sa place avec M. Burlot, mais pour 3 nuits chacun (10-2 au 13-2).
7-2	H	T	Confirmation, mais M. Burlot aura une chambre avec cabinet de toilette à 105 F.
7-2	E	T	Accepte.
6-3	H	L	Envoi de la note mensuelle ; 11 nuits, donc remise de 8 % ; remerciements.

			Cas nº 2
4-3	E	L	La même entreprise à l'Hôtel Le Manoir, place de l'Établissement Thermal, B.P. 92, 73106 Aix-les-Bains[2] ; réservation pour deux personnes, chambre et salon, du 17 au 21-4, plus repas pour onze personnes dans la soirée du 19 ; envoyez la note pour tous les frais à l'entreprise.
8-3	H	L	L'hôtel remercie, confirme que c'est possible et donne les tarifs.
19-3	E	T	Demande de reporter le tout de 15 jours (séjour : 2 au 6-5 et repas le 4 au soir).
19-3	H	T	Confirmation.
27-3	E	T	Il n'y a plus un couple, mais deux couples ; même réservation pour le 2e ; mêmes instructions.
27-3	H	T	Il n'y a plus de 2e chambre avec salon, mais l'hôtel propose une très vaste chambre avec coin bureau et indique le prix.
27-3	E	T	Accepte la proposition.
7-5	H	T	La femme de chambre a trouvé dans la chambre avec salon un étui à cigarettes en argent. L'hôtel attend des instructions.
7-5	E	T	L'entreprise remercie et demande qu'on lui envoie l'étui en paquet exprès recommandé.
15-5	H	L	Envoi de la note ; confirmation de l'expédition de l'étui ; remerciements et souhaits d'accueillir d'autres invités.

1 E = Entreprise H = Hôtel T = Télex L = Lettre.   2 ... ou à un hôtel de votre pays que vous définissez.

Suggestions de rédaction de lettres[1] et télex pour le cas n° 1

De l'entreprise à l'hôtel

Messieurs,

Nos activités vont nous obliger à envoyer à Marseille pendant les prochains mois un certain nombre de nos collaborateurs pour des séjours brefs — mais réguliers — représentant environ huit à dix nuitées par mois.

Nous souhaitons connaître vos meilleures conditions pour une chambre tranquille, avec douche et w.-c., prix avec petit déjeuner, T.T.C. Une réponse rapide nous obligerait car les voyages vont commencer sous peu.

Bonjour. Suite votre lettre du 12 janvier demandons réservation pour M. LEROY, 2 nuits du 10-2 au 12-2. Salutations.

Bonjour. Votre télex du 4. Annuler M. LEROY au 10-2 ; vient 5 nuits du 12 au 17-2. Au 10-2 remplacer par M. DUPUIS avec M. BURLOT pour 3 nuits du 10 au 13-2. Salutations.

Bonjour. Votre télex ce jour. Confirmons réservations DUPUIS, BURLOT, LEROY. Salutations.

De l'hôtel à l'entreprise

Messieurs,

Nous vous remercions de votre lettre du 8 janvier. Nous recevrons vos collaborateurs avec grand plaisir et apporterons un soin tout particulier au confort de leur séjour.

Le prix de nos chambres avec douche et w.-c. est de 145 F la nuit, petit déjeuner, taxes et service compris. Nous pourrons vous adresser un relevé mensuel en vous faisant bénéficier d'une remise de 8 % si le nombre de nuits dans le mois est de dix ou plus.

Nous vous signalons que nous venons de faire installer un télex, n° 940 682 F.

Bonjour. Votre télex ce jour. Avons réservé chambre douche, w.-c. pour M. LEROY du 10 au 12-2. Salutations.

Bonjour. Votre télex ce jour. Réservations MM. DUPUIS et BURLOT possibles avec chambre C.T. pour M. BURLOT à 105 F. Réservé pour M. LEROY 12 au 17. Salutations.

Messieurs,

Veuillez trouver ci-joint la note correspondant aux prestations fournies pendant le mois de février dernier. Le nombre de nuitées ayant atteint dix au cours du mois, nous sommes heureux de vous faire bénéficier de la remise de 8 % comme convenu.

Nous vous remercions de votre confiance et vous prions d'agréer...

1 Il ne s'agit évidemment pas d'un « corrigé » ; d'autres rédactions sont possibles.

Touristix mène l'enquête (suite et fin)

Plan Vérité

Ceci est une de mes enquêtes qui constituent le plan vérité Wagons-Lits Tourisme.

- Vous en saurez plus que ce que vous disent les catalogues.
- Vous obtiendrez des informations objectives et introuvables ailleurs.
- Vous trouverez une sélection rigoureuse au meilleur prix.

Pour éviter les mauvaises surprises à l'arrivée et réussir vos vacances venez nous voir!

Wagons-Lits Tourisme, premier réseau mondial du voyage, met à votre disposition 130 agences de voyages en France.

GLOSSAIRE

des termes du français de l'hôtellerie et du tourisme contenus dans l'ouvrage

A ——

Abbaye	Monastery	Abtei	Convento, abadia
Accueillir	To welcome	Empfangen	Recibir
Addition	Bill	Rechnung	Cuenta
Aéroport	Airport	Flughafen	Aeropuerto
Affaires	Business	Geschäfte	Negocios
Agence de voyages	Travel agency	Reisebüro	Agencia de viajes
Alcool	Alcohol	Alkoholisches Getränk	Alcohol
Aménagements	Facilities	Ausstattung, Anlage	Acondicionamiento
Ananas	Pineapple	Ananas	Piña, ananás
Annuler	To cancel	Rückgängig machen	Anular
Apéritif	Aperitif	Aperitif	Aperitivo
A point (viande)	Medium	Gar	A punto
Appel (téléphone)	Phone-call	Anruf	Llamada (tel.)
Archéologie	Archeology	Archäologie	Arqueología
Argenterie	Silver-plate	Silbergeschirr	Cubiertos de plata
Aromates	Spices, herbs	Gewürzkräuter	Condimentos, aromas
Ascenseur	Lift	Aufzug, Lift	Ascensor
Automatique (tél.)	Automatic	Selbstwähler	Automático
Autoroute	Motorway	Autobahn	Autopista de peaje

B ——

Bagages	Luggage	Gepäck	Equipaje(s)
Baignade	Bathe	Baden	Baño
Balcon	Balcony	Balkon	Balcón
Banane	Banana	Banane	Plátano, banana
Banque	Bank, desk	Bank	Banco, banca
Banquet	Banquet	Bankett	Banquete
Bar	Bar	Bar	Bar
Barman	Bartender	Barmann	Barman
Bière à la pression	Beer on draught	Bier vom Fass	Cerveza a presión
Bijou(x)	Jewels	Schmuck	Joya, alhaja
Bistro(t)	Pub	Kneipe	Tasca, bar
Blanchisserie	Laundry	Wäscherei	Lavandería
Boisson	Drink	Getränk	Bebida
Boîte (de nuit)	Night-club	Nachtlokal	Club de noche
Bouchon	Cork	Kork	Corcho
Boule de glace	Scoop of ice-cream	Eiskugel	Bola de helado
Bouquet	Bouquet	Blumenstrauss	Ramo (de flores)
	Bouquet (wine)	Bukett	Cuerpo (vino)
Bouquet garni	Bouquet garni	Kräutersträusschen	Manojo de hierbas
Brebis (lait de)	Sheep's milk	Schaf	Cordero
Bureau de réception	Reception office	Empfangsbüro	Oficina de recepción
Bureau de renseignements	Information office	Auskunft (sbüro)	Oficina de informaciones

C ——

Cabaret	Cabaret	Cabaret	Cabaret
Cabinet(s)	Toilets	Toilette	Lavabos
Cabinet de toilette	Washbasin and bidet	Waschraum	Cuarto de aseo
Caféteria	Cafeteria	Cafeteria	Cafeteria
Caisse	(Cash) desk	Kasse	Caja
Camping	Camping	Camping	« Camping »
Canapé-lit	Convertible sofa	Schlafcouch	Sofá-cama
Canard	Duck	Ente	Pato
Carafe	Decanter	Karaffe	Garrafa

Caravaning	Caravanning	Reisen im Wohnwagen	« Caravaning »
Carte d'identité	Identity card	Personalausweis	Pieza de identitad
Carte des vins	Wine list	Weinkarte	Carta de vinos
Cassis	Black-currant	Schwarze Johannisbeere	Grosella negra
Catégorie	Class	Kategorie, Klasse	Categoría
Céleri	Celery	Sellerie	Apio
Centre hospitalier	Hospital	Grosskrankenhaus	Centro hospitalario
Centre touristique	Tourist resort	Touristenzentrum	Centro turístico
Chaise-longue	Deck-chair	Liegestuhl	Hamaca
Chapelle	Chapel	Kapelle	Capilla
Chasse d'eau	Flush	Wassersputung	Cadena
Chef	Chef, (head-) cook	Chef	Jefe
Cigare	Cigar	Zigarre	Puro
Circuit touristique	Organized tour	Rundreise, Besichtigungsfahrt	Circuito turistico
Citron	Lemon	Zitrone	Limon
Climatisé	Air-conditioned	Klimatisiert	Aire acondicionado
Cocktail	Cocktail	Cocktail	Cóctel
Cocotte	Stew-pan	Schmortopf	Olla
Coffre-fort	Safe	Safe	Caja fuerte
Commande	Order	Bestellung	Pedido
Commissariat	Police-station	Polizeibüro	Comisarí
Communication (tél.)	Phone-call	Anschluss	Comunicación
Compartiment (coffre)	Safe-deposit box	Schliessfach	Compartimiento
Complet	Full	Voll, belegt	Completo
Comptoir	Counter	Büro, Theke	Mostrador, barra
Condiments	Condiments, seasoning	Gewürze	Condimentos
Conditions	Conditions	Verhältnisse	Condiciones
Confirmer	To confirm	Bestätigen	Confirmar
Confiture	Jam	Konfitüre	Mermelada
Congrès	Conference	Kongress	Congreso
Consistance	Consistency	Konsistenz	Consistencia
Coquillages	Shell-fish	Muscheln	Crustáceos
Corps gras	Fat	Fett	Grasa
Couloir	Corridor	Gang, Flur	Pasillo, corredor
Coupe	Cup, glass, bowl	Schale	Copa
Courrier	Post	Post, Briefe	Correo
Cours (change)	Rate (of exchange)	Kurs	Cambio
Couvert	Fork and spoon	Besteck	Cubierto
Crème	Cream, custard	Sahne, Süssspeise	Nata, crema
Croissant	Crescent, roll	Hörnchen	Medialuna
Cru,e (adj.)	Raw	Roh	Crudo
Cru (nom)	Vintage, vineyard	(Wein-) Sorte	Cosecha
Crudités	Raw vegetables	Rohkostsalate	Entremeses
Crustacés	Shell-fish	Krustentiere	Crustáceos
Cuisson	Cooking	Kochen	Cocción
Cure	Cure, treatment	Kur	Cura
Curiosités	Curios	Sehenswürdigkeiten	Curiosidades

D

Débours	Outgoing	Ausgaben	Dedembolsos, gastos
Décaféiné	Decafeinated	Koffeinfrei	Descafeinado
Décanter	To decant	Abgiessen	Decantar
Délayer	To add water to	Verdünnen	Diluir
Demi-pension	Half-board	Halbpension	Media pensión
Dépliant	Folder	Prospekt	Desplegable
Déposer	To deposit (a sediment)	Ablagern	Depositar
Descendre (dans un hôtel)	To put up (at a hotel)	Absteigen	Parar en un hotel
Desservir	To clear away	Abtragen	Quitar la mesa
Détente	Relaxation	Entspannung	Descanso, esparcimiento
Devises	(Foreign) currency	Devisen	Divisas (dinero)

Digestif	Brandy	Verdauungsschnaps	Digestivo, licor
Discothèque	Disco, discotheque	Diskothek	Discoteca
Distractions	Amusements	Ablenkung	Distracciones
Divers	Sundry	Verschiedenes	Diverso
Documentation	Documentation	Dokumentation	Documentación
Donjon	Stronghold	Bergfried	Torreon
Donner sur...	To look out on...	Gehen auf...	Dar a...
Doubles	Duplicates	Duplikat	Dobles
Durée	Duration	Dauer	Estadía

E _____

Eau de vie	Brandy	Schnaps	Aguardiente
Eau gazeuse	Sparkling water	Sprudel	Agua gaseosa
Eau minérale	Mineral water	Mineralwasser	Agua mineral
Eau plate	Plain water	Wasser ohne Kohlensäure	Agua natural
Écrevisses	Crayfish	Krebs	Cangrejo
Édredon	Eider-down	Federbett	Plumon, edredón
Église	Church	Kirche	Iglesia
Endives	Endives	Chicorée	Endibia
En sus	In addition	Darüber hinaus	Además
Entrée (maison)	Entrance-hall	Eingang	Vestíbulo
Entrée (repas)	Starter	Vorspeise	Entrada
Équestre (club)	Riding (club)	Reitclub	Club ecuestre
Équitation	Riding	Reiten	Equitación
Espèces	Cash	Bargeld	Metálico
Étape	Stopover	Étappe	Etapa
Excursion	Trip	Ausflug	Excursión

F _____

Facturation	Invoicing	Anrechnung	Facturación
Facture	Invoice, bill	Rechnung	Factura
Fait (fromage)	Ripe (cheese)	Durch (Käse)	Hecho, fermentado (queso)
Femme de chambre	Housemaid	Zimmermädchen	Camarera
Fermenté	Fermented	Gegoren	Fermentado
Fiche	Card, voucher	Karteikarte	Papeleta, ficha
Fichier	Card-index	Karteikasten	Fichero
Filet (de citron)	Dash of lemon	Zitronenscheibe	Un chorreoncito (de limon)
Filet (viande)	Fillet	Filet	Filete
Filtre	Filter, percolator	Filter	Filtro
Flambé	Flambé	Flambiert	Flameado
Foie	Liver	Leber	Higado
Foie gras	Foie gras	Gänseleber	« Foie gras »
Forfait	All inclusive price	Pauschalpreis	Presupuesto
Forteresse	Fortress	Festung	Fortaleza
Four	Oven	Backofen	Horno
Fraise	Strawberry	Erdbeere	Fresa
Frappé (champagne)	Iced	Eisgekühlt	Helada, frío
Frites	Chips, French fries	Pommes-Frites	Patatas fritas
Fromage bleu	Blue cheese	Schimmelkäse	Queso estilo, roquefort
Fruit	Fruit	Obst	Frutas
Fruits de mer	Shell-fish	Seetiere	Mariscos

G _____

Garçon d'ascenseur	Lift-attendant	Liftboy	Ascensorista
Garçon de bar	Waiter	Kellner, Ober	Canarero
Garniture	Garnishing (of dish)	Beilage	Guarnición
Gastronomie	Gastronomy	Gastronomie	Gastronomia

Généreux (vin)	Generous (wine)	Edel (Wein)	Generoso (vino)
Gibier	Game	Wild	Aves de caza
Gîte	Lodging	Quartier	Albergue
Glace	Ice, ice-cream	Eis, Eiskreme	Hielo, helado
Golf	Golf-course	Golf	Golf
Gourmet	Gourmet	Feinschmecker	Catador
Goût	Taste	Geschmack	Gusto, sabor
Gouvernante	Housekeeper	Haushälterin	Gobernanta
Gracieusement	Free of charge	Kostenlos	Gratis
Grenadine	Grenadine	Granatanfelgetränk	Granadina
Gril	Grill	Grill	A la parrilla
Griller	To grill, to roast	Grillen, rösten	Arar
Groom	Page-boy	Page	Botones

H _____

Hall	Hall, lounge	Halle	Vestibulo, hall
Hébergement	Lodging	Unterbringung	Alojamiento
Hippodrome	Race-course	Rennplatz	Hipódromo
Homard	Lobster	Hummer	Crustáceo, langusta
Homologuer	To register	Amtlich bestätigen	Homologar
Hôpital	Hospital	Krankenhaus	Hospital
Horaire	Time-table	Stunden, Fahrplan	Horario
Hors-d'œuvre	Hors-d'œuvres	Vorspeise	Entremeses
Hors saison	Out of season	Nebensaison	Temporada baja
hôte	Host, guest	Gast	Huésped
Hôtel	Residential hotel	Hotelpension	Hotel residencial
Hôtel des postes	Post Office	Hauptpostamt	Correo central
Hôtel de Ville	Town-hall	Rathaus	Ayuntamiento
Hôtellerie	Hotel trade	Hotelgewerbe	Hostelería
Huîtres	Oysters	Austern	Ostras

I _____

Indicatif (tél.)	Code number	Rufnummer	Indicativo
Infusion (de verveine)	Herb tea	Kräutertee	Infusión (de verbena)
Inscription	Registration	Anmeldung	Incripción
Insonorisé	Sound-proofed	Schalldicht	Insonorizado
Instructions	Instructions	Instruktionen	Instrucciones
Inventaire	Inventory	Verzeichnis	Inventario

J

Jambon	Ham	Schinken	Jamón
Jaune d'œuf	Yolk of egg	Eigelb	Yema de huevo
Jus	Juice, gravy	Saft	Jugo, zumo

L _____

Langouste	Spiny-lobster	Languste	Langosta
Liftier	Lift-attendant	Liftboy	Ascensorista
Limitation (vitesse)	Speed-limit	Begrenzung	Velocidad limitada
Limonade	Lemonade	Limonade	Gaseosa
Liqueur	Liqueur	Likör	Licor

M _____

Main-courante	Visitor's tabular ledger	Kladde	Borrador
Manoír	Country-house	Landsitz	Morada
Maquereau	Mackerel	Makrele	Caballa
Marinade	Marinade, souse	Marinade	Escabeche

Menthe	Mint	Minze	Menta
Mentholé	Menthol	Mit Menthol	Mentolado
(cigarettes)	(cigarettes)		(cigarros)
Menu	Menu	Menu	Menu
Message	Message	Nachricht	Mensaje
Mets	Food	Speise	Manjar
Mettre la table, le couvert	To set, to lay the cloth	Den Tisch decken	Poner la mesa
Meublé	Furnished	Möbliert	Amueblado
Mode de paiement	Form of payment	Zahlungsart	Forma de pago
Modifier	To modify	Ändern	Modificar
Moka	Mocha (coffee, cake)	Mokka	Moka, pastel de biscoche
Montant de facture	Amount of a bill	Betrag	Total de la factura
Monument	Monument	Monument, Denkmal	Monumento
Moto-nautisme	Motor-boating	Motorbootfahren	Motonáutica
Moutarde	Mustard	Senf	Mostaza
Musée	Museum	Museum	Museo

N

Nappe	(Table-) cloth	Tischdecke	Mantel
Navet	Turnip	Weisse Rübe	Nabo
Normes	Standards	Normen	Normas
Note	Bill	Rechnung	Nota

O

Odeur	Smell	Geruch	Olor
Œuf à la coque	Soft-boiled egg	Weiches Ei	Huevo a la copa
Œuf au bacon	Bacon and egg	Ei mit Schinken	Huevo al bacon
Œuf au plat	Fried egg	Spiegelei	Huevo frito
Office de tourisme	Tourist bureau	Verkehrsamt	Oficina de turismo
Oignon	Onion	Zwiebel	Cebolla
Orange	Orange	Orange	Naranja
Oseille	Sorrel	Sauerampfer	Acedera

P

Pamplemousse	Grape-fruit	Pampelmuse	Pomelo
Panorama	View	Panorama	Panorama
Parking	Car-park	Parkplatz	Aparcamiento
Passage (clients de)	Occasional (guests)	Durchreise (-gast)	De paso (cliente)
Pâte	Paste, dough	Teig	Masa
Pâtisseries	Pastries	Gebäck	Pastelería
Pêche	Peach	Pfirsich	Melocoton
Penderie	Hanging-wardrobe	Kleiderablage	Armario
Pension complète	Full-board	Vollpension	Pension completa
Personnel (adj.)	Personal	Persönlich	Personal
Personnel (nom)	Staff	Personal	Personal
Petit déjeuner	Breakfast	Frühstück	Desayuno
Petit four	Petit four	Teegebäck	Pastas
Pièce d'identité	Identification papers	Personalausweis	Carnet de identidad
Piscine	Swimming-pool	Schwimmbad	Piscina
Plan d'eau	Artificial lake	Wasseranlage	Lago artificial
Planning	Planning board	Planung	Planificacíon
Plat	Dish, course	Schüssel, Gericht	Plato
Poêle	Frying-pan	Pfanne	Sartén
Point de vue	View point	Standpunkt	Punto de vista
Poire	Pear	Birne	Pera
Poivre	Pepper	Pfeffer	Pimienta
Pommes frites	Chips, French fries	Pommes frites	Patatas fritas
Potage	Soup	Suppe	Sopa

Prendre congé	To take leave	Sich verabschieden	Partir
Prendre place	To take one's place	Platz nehmen	Sentarse
Presse-fruits	Fruit-squeezer	Fruchtpresse	Exprimidor
Prix fixe	Fixed price	Festpreis	Precio fijo
Prix net	Net price	Nettopreis	Precio neto
Purée	Purée	Püree	Pure

R _____

Radiateur	Radiator	Heizkörper	Radiador
Randonnée	Trip	Ausflug	Caminata
Rasade	Bumper	Schoppen Wein	Trago
Réception	Receiving desk	Empfang, Aufnahme	Recepción
Réceptionnaire, Réceptionniste	Receiving clerk	Empfangspersonal	Persona que recibe Recepcionista
Recette	Recipe	Einnahme	Recetá
Récipient	Container	Behälter	Recipiente
Reçu	Receipt, voucher	Quittung	Recibo
Réfrigérateur	Fridge	Kühlschrank	Refrigerador
Régler (facture)	To settle (bill)	Bezahlen	Pagar la cuenta, dejar para...
Renseigner	To inform	Auskunft erteilen	Informar
Repassage	Ironing	Bügeln	Planchado
Reporter	To postpone	Verschieben	llevar de vuelta
Réputation	Reputation	Ruf	Fama
Réserver	To reserve	Reservieren	Reservar
Responsabilité	Responsibility	Verantwortung	Responsabilidad
Rideau	Curtain	Vorhang	Cortina
Rognons	Kidneys	Niere	Riñones
Route nationale	Highroad	Bundesstrass	Carretera nacional
Ruines	Ruins	Ruine	Ruinas

S _____

Saignant	Underdone, rare	Nicht durchgebraten	Carne poco hecha
Salade	Salad	Salat	Ensalada
Salade de fruits	Fruit-salad	Obstsalat	Macedonia de frutas
Salle à manger	Dining-room	Esszimmer	Comedor
Salle de bains	Bathroom	Badezimmer	Cuarto de baño
Salon d'attente	Waiting-room	Wartezimmer	Sala de espera
Sauce	Sauce	Sauce	Salsa
Saucisson	Dry sausage	(Schnitt-) Wurst	Salchichón
Saumon	Salmon	Lachs	Salmón
Sauna	Sauna	Sauna	Sauna
Secrétaire	Secretary	Sekretär (in)	Secretaría
Séjour	Stay	Aufenthalt	Estancia
Séminaire	Seminar	Seminar	Seminario
Sentier	Path	Fussweg	Sendero
Serveur	Waiter	Servierer	Camarero
Service	Service	Bedienung	Servicio
Service compris	Service included	Mit Bedienung	Servicio incluído
Serviettes	Napkins	Handtücker, Servietten	Servilletas
Signer	Sign	Unterschreiben	Firmar
Solde	Balance	Saldo	Saldo
Sorbet	Water ice	Fruchteis	Sorbete
Soufflé	Soufflé	Soufflé	Soufflé
Souvenir	Souvenir	Andenken	Recuerdo
Standard (tél.)	Switchboard	Vermittlung	Standard
Station service	Service-station	Tankstelle	Estación de servicio
Station thermale	Spa	Badeort	Balneario termal
Station verte	Country-resort	Erholungsort	Balneario (zona verde)

Steak	Steak	Steak	Bistec
Supplément	Additional charge	Zuschlag	Suplemento
Syndicat d'initiative	Tourists' information bureau	Fremdenverkehrsverein	Oficina de turismo

T ___

Table d'orientation	Orientation table	Richtungstafel	Mirador de orientación
Tarif	Price-list	Tarif	Tarifa
Tarte	Tart	Torte	Torta
Taux de change	Rate of exchange	Wechselkurs	Cambio
Taxe de séjour	Visitor's tax	Kurtaxe	Tarifa de estancia
Télex	Telex	Fernschreiber	Telex
Tenue	Dress	Anzug	Uniforme
Terrain de camping	Camping site	Campingplatz	Area de camping
Terrasse	Terrace	Terrasse	Terraza
Terrine	Terrine	Terrine	Terrina
Ticket	Ticket	Fahr-, Eintrittskarte	Billete
Tilleul	Lime	Lindenblütentee	Tilo
Toilettes	Toilets	Toiletten	Aseos
Tomate	Tomato	Tomate	Tomate
Tourner (mayonnaise)	To curdle	Geronnen	Batir (mayonesa)
Train direct	Non-stop train	Fernschnellzug	Tren directo
Train rapide	Fast express train	Eilzug	Tren rápido
Tramway	Tramcar	Strassenbahn	Tranvía
Tranche	Slice	Scheibe	Rodaja

U ___

Urbain	Urban	Städtisch	Urbano
Urgences	Emergencies	Dringlichkeit	Urgencias

V ___

Vaisselle	Crockery, china	Geschirr	Vajilla
Valeurs	Valuables	Wertgegenstände	Valores
Vanille	Vanilla	Vanille	Vainilla
Vase	Vase	Vase	Vaso
Veilleur de nuit	Night watchman	Nachtwächter	Sereno, vigilante
Verveine	Vervain	Eisenkrauttee	Verbena
Vestiaire (lieu)	Cloakroom	Umkleideraum	Guardarronas
Vestiaire (vêtement)	Coats	Kleiderablage	Abrigo
Vignoble	Vineyard	Weinberg	Viñedo
Vin blanc	White wine	Weisswein	Vino blanco
Vin rouge	Red wine	Rotwein	Vino tinto
Vin rosé	Rosé	Roséwein	Vino clarete o rosado
Vinaigre	Vinegar	Essig	Vinagre
Violettes	Violets	Veilchen	Violetas
Voile (bateau)	Sailing	Segel	Vela
Volaille	Poultry	Geflügel	Aves
Volet	Shutter	Fensterladen	Postigo

W ___

W.-C.	Toilets	W.C.	W.C.

Z ___

Zeste	Zest (of orange, lemon, etc.)	Zitronen-, (Orangenschale)	Cascara (frutas)

ANNEXES

Points grammaticaux abordés

1 Thèmes grammaticaux et situations dans lesquelles apparaissent les exercices

situations / Points traités	Partie / Chapitre / situation	1 — 1 — 1	2	2 — 1	2	3	4	5	3 — 1	2	2 — 1 — 1	2	2 — 1	2	3	4	5	3 — 1	2	3 — 1 — 1	2	2 — 1	2	3 — 1	2
1	L'interrogation directe																								
2	Le contraire des mots																								
3	La dérivation des mots																								
4	Répondre par **si**																								
5	Les pronoms simples																								
6	Le pronom **en**																								
7	Les diverses formes de la négation																								
8	Les pronoms relatifs simples																								
9	Les adjectifs correspondant aux noms de pays																								
10	L'ordre des mots dans la phrase simple																								
11	Le genre des noms																								
12	Le nombre des noms																								
13	La comparaison et l'intensité																								
14	Les possessifs																								
15	La forme des verbes																								
16	La construction des verbes																								
17	Formes particulières des verbes : subjonctif et conditionnel																								
18	Les expansions de la phrase simple																								
19	L'hypothèse																								
20	La concordance des temps																								
21	Les relations de cause et de conséquence																								
22	Les relations de condition																								
23	Les relations de temps																								
24	Transformation : conjonction + V ⟷ préposition + N																								

N.B. : Pour l'organisation d'ensemble des trois premières parties et pour le système de progression suivant le principe de « l'écho », voir l'introduction.

▓ = 1re apparition   ░ = écho.

2 Détail des thèmes grammaticaux

page   page

3 Thèmes grammaticaux abordés dans les exercices de traduction

4 Points grammaticaux abordés dans les exercices de traduction

Table des compétences traitées dans la rubrique « Votre savoir-faire »

Table des enregistrements

PREMIÈRE CASSETTE — Piste a : 28'50"

partie	chapitre	pages	contenu
1	1	2-3	*Situation 1*, dialogues
		4	exercices 1 a) et 1 c)
		6	dialogues
		7	dictée
		8-9	*Situation 2*, dialogues
		10	exercices 1 et 2
		12	dialogue
	2	14	*Situation 1*, dialogues
		16	exercices 1 et 2
		18	dialogue
		20-21	*Situation 2*, dialogues
		22	exercices 2 et 3
		24	dialogue
		26	*Situation 3*, dialogues

Piste b : 28'10"

partie	chapitre	pages	contenu
1	2	28	exercices 1 et 3
		30	dialogues
		32-33	*Situation 4*, dialogues
		34	exercices 2 a), 2 b) et 3
		36	dialogue
		38-39	*Situation 5*, dialogues
		40	exercices 1 et 3
		43	dictée
	3	44-45	*Situation 1*, dialogues
		46	exercices 2 a), 2 b) et 3

DEUXIÈME CASSETTE — Piste a : 30'18"

partie	chapitre	pages	contenu
1	3	50-51	*Situation 2*, dialogues
		52	exercices 1, 2, 3 et 4
		55	dictée
2	1	58-59	*Situation 1*, dialogues
		60	exercices 1, 2 et 3
		62	dialogue
		62	dictée
		64-65	*Situation 2*, dialogues
		66	exercice 3

Piste b : 29'53"

partie	chapitre	pages	contenu
2	2	70-71	*Situation 1*, dialogues
		72	exercices 1, 2, 3 a) et 5
		76-77	*Situation 2*, dialogues
		78	exercices 2, 3 et 4
		82-83	*Situation 3*, dialogues
		84	exercice 2
		88-89	*Situation 4*, dialogues
		90	exercice 2
		94-95	*Situation 5*, dialogues

TROISIÈME CASSETTE — Piste a : 28'20"

partie	chapitre	pages	contenu
2	2	96	exercice 2
		99	dialogues
	3	100-101	*Situation 1*, dialogues
		102	exercices 1 et 5
		106-107	*Situation 2*, dialogues
		108	exercices 3, 4 a) et 4 b)
3	1	114-115	*Situation 1*, dialogues
		116	exercices 1 et 2
		118-119	dialogues
		120-121	*Situation 2*, dialogues

Piste b : 30'20"

partie	chapitre	pages	contenu
3	1	122	exercices 3 a), 3 b) et 5
		125	dialogue
	2	126-127	*Situation 1*, dialogues
		128	exercices 2 et 4
		132-133	*Situation 2*, dialogues
	3	138-139	*Situation 1*, dialogues
		140	exercice 5
		143	dialogues
		144-145	*Situation 2*, dialogues
		146	exercice 5
		148	dialogues

TABLE DES MATIÈRES

Imprimé en France par Mame Imprimeurs à Tours
Dépôt légal n° 5147-09-91 – Collection n° 27 – Édition n° 03
15/4792/6